新潮文庫

不安な童話

恩田陸著

新潮社版

7007

目次

プロローグ　9
【第一章】遠い海への道のりは、
ある日、突然に始まる　15
【第二章】海に向かう道は、
長くねじれている　59
【第三章】すべての道が、
海につながっているように見える　119

【第四章】中には、
海を見ずに終わる者もいる　209
【第五章】海に続く道　265
エピローグ　330
軽やかにジャンルを跳び越えた傑作　貴志祐介　337

不安な童話

プロローグ

窓は大きく開け放してあったが、風はほとんどなく室内は蒸し暑かった。

しかし、よく注意してみると、かすかな空気の流れに潮の香りが感じられる。

また、耳を澄ませば、遠くのほうから心を騒がせるように低く響いて来る音が、海鳴りであることが判《わか》る。

だが、部屋の主の耳に、その海鳴りの音はまったく入って来ていなかった。

絶え間ないシャッ、シャッ、という小刻みな音に没頭しているのである。

その女は、黄色いサンドレスが汗で背中にべったりと貼《は》りついているのにもまるで気付かぬように、ひたすら手を動かしていた。

華奢《きゃしゃ》でやや病的に色白の腕は、見た目の印象とは裏腹にたくましいテンポでキャンバスの上に踊っている。その動きは激しく、あっという間に画布の上の色が塗り替えられてゆく。

キャンバスを見つめる真剣な目の下にはくっきりと隈《くま》が見え、彼女が長時間にわたってこの作業を続けてきたことが察せられるが、にもかかわらず彼女が非常に美しい女性であることは間違いない。

窓の外に見える、沈んだ鈍色《にびいろ》の海は、もう夕暮れだった。流れだした黄身のような残光が、水平線の上にどろりと浮かんでいる。

部屋の中は、すべてのものを疲弊させて見せる、夏の終わりの光に浮かび上がっていた。

隅に置かれた大きな青銅の花瓶には、たくさんの黄色いバラが活《い》けられていたが、ほったらかしだったと見え、乾いて茶色くなった花びらが周囲に散っている。

その花瓶の傍らで、クッションを枕《まくら》にして一人の子供がすうすうと眠っていた。板張りの床の感触が冷たくて心地《ここち》好《よ》いのか、クッションからずり落ちて、床に頬ずりするような格好になっている。時折、かすかに寝言を言いながら寝返りを打つ。

絵は、素晴らしい早さで次々と完成していた。

未《いま》だかつてこんな勢いで絵を描いたことはなかった。

いつだって、息苦しくなるような己の雑念や、勝手に頭の中に飛び込んで来る鮮明なヴィジョンに悩まされ続けてきた。

部屋中を舞う夥《おびただ》しい数の白い紙飛行機。

歯を剝《む》き出す老女、高笑いをする小人《こびと》。

自分の頭を叩《たた》き割ってやりたい、中身を絞りだしてバケツに入れてガラガラと洗い流したい。息を潜めてそういう衝動をなだめすかしながら、ずっと絵を描いてきた。

その戦いはいつも彼女をへとへとにした。一枚絵を描くたびに、ただでさえかぼそい神経はズタズタになった。その鬱憤《うっぷん》は近くにいる者に向けられた。家族に当たり、物に当たり、そのあとでそういう自分に対する自己嫌悪《けんお》に苦しみ——それでも、また次の絵を描き始めるのだった。

なのに、今のこの早さはどうだろう！

こんな爽快感《そうかいかん》は生まれて初めてだ。いつも、どこかやり場のない焦《あせ》りや憎しみにじりじりと背中を灼《や》かれていた年月が嘘《うそ》のよう。まるで、夏の海の遥《はる》か上空を、腕を広げて鳥みたいに飛んで行くかのよう。しかも、この高揚した気分が、ずっととぎれずに何日も続いているのだ。

しかし、この尋常ではない爽快感が、かえって彼女に終末の近さを予感させた。

彼女は、この高揚した状態が終わる時が来るのを激しく恐れていた。この気分が終わった時の反動は、いつもとは比べものにならないくらい深刻だろう。今のうちに描けるだけの絵を描いておかなければ。今のうちに。

ここ数日間、頭の中がくっきり晴れ渡っていたので、ろくに睡眠をとっていなかった。しかし、時々身体《からだ》の底からぷかりと浮かび上がる泥のような疲労に抗《あらが》えず、短くまどろむことがあった。すると、目覚めた時、知らないうちにいつも同じスケッチを走り書きしているのだった。

海辺に倒れている女。

ぼろきれのように、砂浜に横たわる女。すでに、波の冷たさも、濡《ぬ》れた砂の硬さも感じなくなっている女――これは私――**私**。

もうすぐ私はこうなるのだ。

そう考えると、心臓がスッと冷たくなるのを覚え、喉《のど》の奥に苦いものが込み上げてくる。しかし、次の瞬間には、彼女はその感情が震えるような歓喜にすりかわっているのに気付くのだ。

女は興奮を抑えきれぬかのように立ち上がり、窓辺に立った。

低気圧が近付いているのか、空気は湿り、波は不穏な気配に満ちていた。

もうすぐ。もうすぐね。

女の瞳《ひとみ》は熱病患者のようにキラキラと光る。

なぜだろう、この風景、とても懐《なつ》かしい。この海、どこかで見たことがある。

かつてどこかで、こんな気持ちでこんなふうに窓辺に立っていたような。

子供が言葉にならない寝言を呟《つぶや》いた。

女は床で眠る子供にチラリと目をやる。私のグレーテル。


——おかあさん、みんな、死んだらどこへ行くの？

母親の神経の昂《たかぶ》りを感じているのか、この子は昼間あんなことを訊《き》いてきた。そろそろ死というものの存在を、おぼろげながら感じ始める歳《とし》なのかもしれない。

——別のものに生まれ変わって来るのよ。

——別のもの？

——そう。お空を見てごらん——海を見てごらん——雲になったり、雨になったり、海になったり。お水だってぐるぐる世界を回っているでしょう。みんなそうよ。生きているものはみんな、形や姿を変えていつまでも世界を回り続けるの。

——ぐるぐる。

——そう。

私もそうよ、という言葉を昼間は飲み込んでしまったが、彼女は今まさに決心を新たにするのだった。

私は必ず戻って来る。死んだって、必ず生まれ変わって来てみせる。

その目に激しいものがみなぎる。

そして、その時こそはもう一度あの人と。

彼女はすうっと息を吸い込んだ。

くるりと部屋の中を振り返り、ふたたび絵の前に立つ。

刺すような視線で絵を見つめ、キャンバスの角をつかむ。

さあ、あなたたち、楽しみに待っていてちょうだい。あたしの最後のプレゼント。あたしの命をかけた、あたしのありったけの愛情を込めた贈りものよ。

女はにっこりとほほえんだ。はっとさせられるほど華やかで美しい、それでいてどこか不吉な感じのする笑顔だった。

【第一章】

遠い海への道のりは、
ある日、突然に始まる

1

急に激しい喉《のど》の渇きを覚えて、ふと喉元に手をやった瞬間、いつのまにか首筋にじっとりと汗をかいているのに気が付いた。

暑い。ここは暑い。それとも、あれが近いからだろうか？

無造作に髪を払って首筋を拭《ぬぐ》う。月経が近付くと、ほんの少しだけ体温が上がるのが判《わか》る。わずかな体温の上昇でも、なんとなく熱に浮かされた感じになる。たとえば、肉体というハードと精神というソフトが、ぴったりズレのない状態で重なっているのがふだんの私だとすると、この期間はちょっぴりソフトがハードからぶれて浮き上がっているような感じになるのである。

今月はもう少し先のはずなのだが、この夏の異様な暑さのせいで、体内時計が狂ったのかしらん。それともこの会場の熱気のせい？

私は、かなり混み合っている会場を落ち着きなく見回した。

ここは、渋谷の繁華街のはずれにある古いテナントビルの最上階。

聞いたことのない画家の展覧会だから、客はそんなに来ていないだろうとたかをくくっていたのに、会場に着いた時はちょっと意外な感じがした。

渋谷にしてはかなり平均年齢の高い、しかもなかなかスノッブな雰囲気の人たちで会場が賑《にぎ》わっていたからだ。スノッブな人たちというのは、どうしてみんな似ているのだろう。同じような顔をして、同じような声をしている。われわれは君たちと違ってだね、人生に多大な投資をしている。よってわれわれはとても人生を楽しんでいるのだ。どうだ、楽しそうだろう！　彼らの身振り手振りがそう言っているのを見ると、思わず苦笑してしまいそうになる。自尊心の塊のようなまなざしと、聞かれることを前提とした自慢話が暑苦しい。

こんな場所では、私のような小娘は透明人間のごとく無視される。黒いノースリーブのタートルネックのサマーセーターにフレンチジーンズというスタイルが、渋谷でこれだけ浮いてしまうというのも珍しい。

しかし、隣りにはもっと浮いている人たちがいる。

数歩先では、私の上司と友人が、絵を指差しながら勝手な評を戦わせていた。

鉛筆みたいにひょろ長くて端整な顔をした今泉《いまいずみ》俊太郎《しゅんたろう》と、落花生に手足を付けたような体型で埴輪《はにわ》顔の浦田《うらた》泰山《たいざん》先生は、じつに対照的である。二人の唯一《ゆいいつ》の共通点は、恐ろしく逆立った天然パーマだ。遠く離れていても、黒いヤマアラシが左右にうごめいていればそれが彼らである。私は二人が並んでいると、怪奇映画で最初の犠牲者になる村人が悲鳴を上げているシーンをつい連想してしまう。この二人、一般常識にやや欠けるところはあるものの、普通の人が一生知りたいと思わないようなことを山ほど知っている。だから年齢差の割りにうまが合うのかもしれない。

「なんでこんなに混んでるんでしょうね？　初日でもないのに。そんなに有名な人なんですか？」

首をかしげる私に、例によって何でも知っている泰山先生は、あの奇妙な甲高い声で答えた。

「ウン、この人はね、万由子《まゆこ》が生まれるよりも前に、そう、ちょうど俺の学生時代くらいにブームになったんだよ。当時のとんがった若い子たちに熱狂的な人気があったのに、さあこれからって時に急死しちゃったんだ。今ここに来てる客はそのころのファンだろうな。すごいね、この盛況ぶり。ひょっとして、リバイバル・ブームになるかもよ」

「でもこれ、遺作展てなってますよね。だから僕、てっきり最近亡《な》くなった人なのかと思ってた。そしたら、没後二十五年だって。なんで今ごろやるんでしょうね？　著作権か何かの関係ですかね」

「へえー」

俊太郎が展覧会の案内のハガキを取り出して、しげしげと眺めた。

二十五年前。私の生まれる一年前だ。

正直言って、恐ろしく昔に思える。自分が存在するよりも遥《はる》かな昔からこの世界が存在していたというのは、どう考えても不思議だ。少なくとも私にはその事実を証明することができないではないか？　みんなが私の生まれた時点から口裏を合わせているのかもしれないし。この世界が私だけの百メートルの短距離走ではなく、永遠に終わらないリレー競技であるということを理解するのはなかなか難しい。こんなくだらないことを考えている間にも、嫌な汗が首筋を伝うのを意識していた。

暑い。ここは、とても暑い。

今にして思えば、その不安は会場の入口を見た時からすでに感じていた。

子供のころ、遠足か何かで大きなお寺に行ったことがある。

少し奥まったところで遊んでいて、敷石が一カ所ずれているところが目に入った。ほかの石が整然と並んでいただけに、その石はとても目立った。私がその石を動かそうとすると、一緒にいた子がこわごわ言った。まゆちゃん、お寺の石は動かしちゃいけないんだよ。

私は言うことをきかなかった。というよりも、本当は動かしたくなかったのに、もう石にかけた手を放すことができなかったのだ。やめたほうがいい、放したほうがい い、と思っているのに、うんしょ、うんしょ、と私は敷石をひっくり返していた。かなり時間がかかったが、ようやくゴロリ、と重い敷石が裏返った。

その裏には、びっしりと隙間《すきま》なく黒い甲虫《こうちゅう》が貼《は》り付いていたのである。

虫嫌いの私は全身が凍りついた。

声も立てられずに、石を放り出して、友達と一目散に逃げた。

しかし、あとからよく思い出してみると、恐ろしかったのは虫ではなかった。敷石の下に、子供用の赤い靴下が一揃《ひとそろ》い、埋められていたのである。なぜあの場所にそんなものがあったのかは今でも判らない。しかし、あの靴下を見た時の恐怖は今でもまざまざとよみがえるのだ。

その、敷石に手をかけている時のような嫌な感じが、会場を目の前にした時から全身にまとわりついていたのだった。

その入口に不審なところがあったわけではない。きちんと手間とお金をかけて準備した展覧会らしく、私の不安を裏書きするようなものは何もなかった。

高槻《たかつき》倫子《のりこ》遺作展

シンプルだが品のよいレタリングが、計算された角度から照明を浴びて白い壁に浮かび上がっていた。

その脇《わき》のスペースには、招待状のハガキにも刷り込んであった、印象的な海の絵のポスターが何枚も並べて貼ってある。ポスターの下には、初日に贈られたとみえる豪華な花がいくつも並んでいた。

首の後ろをかすめるような不快感。

それはどこからやって来たのだろう。

入口を思い浮かべて考えてみたが、それはどうやらその海の絵からのようだった。

ハガキで見た時には、サイズが小さかったせいかとくに何も感じなかったのに、そこに並べられた大きな海の絵のポスターに、私は少なからず動揺していた。

それは、曇り空の海をえがいたものだった。

がらんとした淋《さび》しい海辺。

シーズン的には、今と同じ夏の終わりであろうか。遠景に飲み込まれている崖《がけ》に、うずくまるような低い灌木《かんぼく》が貼り付いている。暗いグレイとかすかなピンクの混《ま》じった不機嫌な波の色が、ところどころに弱い光をにじませた重い雲に溶けようとしている。

どこか荒涼とした、見ている者まで寒々とした気分にしてしまうような絵だった。

そのくせ、絵の奥には、残り火がくすぶっているような不気味な熱っぽさがあって、妙に惹《ひ》きつけられてしまう。

その絵を見た時から、激しい喉の渇きを感じ始めていたのだ。

展示は、いくつかの小品から始まっていた。

それらはポスターの海の絵の、粘着質を感じさせる重さに比べると、まだ軽いタッチで色調も明るく、会場に足を踏み入れた私は救われたような気分になった。

一瞥《いちべつ》して童話をモチーフにしたものらしいと気付き、寛《くつろ》いだ気分で絵に見入ったのだが、じきに私の心はうっすらと冷たいものに覆《おお》われていった。

白雪姫の死に嘆き悲しむ七人の小人たちを、遠目に見守りながらたたずんでいる、黒いガウンを着た女の乾いた表情のアップ。

苔《こけ》むした巨大な糸車の向こうで、廃墟《はいきょ》のようないばらに囲まれた、眠れる美女。闇《やみ》の中に横たわる彼女の周りには蜘蛛《くも》の巣が張り、ほこりだらけだ。

かつては宝石だった眼をえぐられ、身体《からだ》じゅうの金箔《きんぱく》を剥《は》がされた幸福の王子の像がみすぼらしくそびえている広場。王子の足元には全身を縮めて息絶えた燕《つばめ》が落ちている。

「うわあ、きれいな絵だけど相当ブラックだね、この人」

俊太郎があきれたような声を上げた。

私も同感だった。

繊細な描線は知性に溢《あふ》れ、色も構図もモダンで美しいのに、どこかその視線は醒《さ》めきっていた。

王子の愛に目覚めるはずの眠り姫を見る視線も、貧しい人々に富を分け与えて満足しているはずの幸福の王子に対する視線も、どこか冷たい光を帯びていた。

その冷たい光は、会場のすべての絵を覆っており、そのあとに続く油絵の、海の絵の連作にも引き継がれていた。

だんだん気分が悪くなってきた。

暑い。耐えられないほど暑い。

なぜか、目の前に並んでいる絵を正視していることができないのである。

海の絵。何の変哲もない、風景画。

それらはどれも同じ場所をえがいたもののようだった。夏の終わりの海。空虚な倦《けん》怠《たい》感《かん》に満ちている、モノクロームの季節。

つかのまの晴天。波打ち際《ぎわ》を駆ける子犬。海辺を歩く人々。遊ぶ子供。ありふれた、のどかな風景。

しかし、そのどれもが私には怖かった。

会場の奥に進むにつれて、絵のサイズがどんどん大きくなってきた。抜けられない深みにはまっていくような息苦しい感覚に襲われる。

ひどいわ、ひょっとして換気が悪いんじゃないかしら？　こんなにたくさんの人がいるんだもの、もうちょっと空調を効かせてくれたっていいんじゃない？

何枚も、同じような構図の絵が続く。一瞬、会場全体が一枚の海の絵であるかのような錯覚を覚える。

無意識のうちに、しきりに汗を拭っていた。

喉が渇く。足を進めるのがつらくなり、胃袋から生唾《なまつば》が込みあげて来る。黒のサマーセーターは汗でびっしょりだった。ああ、キモチ悪い。

——逃げなくては。

いつのまにかそう考えていたのに気付いて、びっくりする。

逃げる？　どこから？

——逃げ出すのだ。早く引き返すのだ、ここから。急げ。今ならまだ間に合う。

周囲の客たちは、この展覧会を楽しんでいるようだった。陽気で華やかでちょっと毒のある、美術展独特のざわめき。

だからさあ、彼はまだ自分がこの分野での第一人者だと思ってるわけよ。ほんとはもう十年くらい遅れちゃってるんだけどね。あそこまで凝り固まっちゃうと誰も今さら指摘できないじゃない？　ああいうのも悲惨だよねえ。

ほんと、渋谷って年々ひどくなるわ。めったに足運ぼうと思わないものね。なあに、あの子たちの汚い格好。髪の毛の色といい、肌の色といい、汚らしいったらありゃしない。みんな同じ格好してるくせに自分は個性的だと思ってるんだから嫌になっちゃうわ。

ねえ、聞いた？　彼女のとこ、危ないんですってよ。まだお嬢さんも高校生じゃない、せめて社会人になるまで我慢すればって言ったんだけど、駄目なんだって。もうこれ以上、一日たりともお前の顔なんか見たくないって言われたんですって。無責任よねえ。

こちら、初めてでしたっけ？　え？　ああ、篠塚《しのづか》んとこの事務所で。いや、彼をご存じで？　僕はもう数十年来のつきあいでしてね。彼がまだ駆け出しのころに――

何かが突然キラッと光った。

私はびくっとして辺りを見回した。

光の元になりそうなものは見当たらない。誰かのアクセサリーに照明の光が反射したのかもしれない。イヤリングなんかは、思いがけず強い光を跳ね返したりするものだ。ここには、耳が伸びてしまいそうなほど重たそうなイヤリングをつけている人がいっぱいいるし。見てるだけで肩が凝りそうだ。

早く出口にたどりつきたい一心で、私はふらふらと次の絵に向かった。

俊太郎と先生ときたら、私がこんなに気分が悪いのにいっこうに気付かない。てんで勝手に歩き回り、人を押し退《の》けて絵に見入っている。まったく、連れの女性にこれっぽっちの注意も払わないところは二人ともそっくりだ。だからいつまでも独り者なのよ。

おなかの中で毒づいて、私は絵の前に立った。

目の前にあるのは、大きな縦長の額に収まった夕暮れの海だった。

海は、薄れてゆく黄昏《たそがれ》の向こうにある夜の予感に満ちていた。

（小さな男の子）

寄せては返す波遠くにゆるやかな弧を描く水平線小さな男の子が波打ち際に柔らかい砂を蹴《け》りあげて向こう側に走ってゆく女の子のように長く伸びた髪が海からの風になぶられている彼はこの海に母親とやって来たのだ彼は遠くへ走ってゆく走ってゆく

私はハッとわれに返った。

二、三回瞬《まばた》きをする。

なに、今の？

あらためて目の前の絵をしげしげと眺めた。

人っ子ひとりいない、夕暮れの海の風景。

すうっと全身から血の気が引いた。

――あたしは今、小さな男の子が浜辺を駆けて行くのを見た。

慌《あわ》てて周囲を見回す。小さな子供など、どこにもいない。着飾った大人たちがざわざわと寛ぎながら歩き回っているだけ。変だな、気のせいかしら？

私はもう一度、絵に目をやった。

（あの子はオーバーオールのジーンズを穿《は》いていた）

隣りにある次の絵に何気なく目をやった私は、今度こそ小さな悲鳴を上げて飛び退《の》いた。

そこには男の子がいた。

一人の少年が、絵の中からこっちを見つめていた。

あどけない表情。長めのさらさらした髪。五、六歳くらいだろうか。

私は両手でショルダーバッグをきつく抱き締めていた。

その絵の中の少年は、オーバーオールのジーンズを穿いていたのだ。

ほんの一瞬前に、私が見た幻と寸分違《たが》わぬ少年が。

冷や汗がじわじわとにじんでくる。

その時、私は判ったのだ。どうしてここにある絵が、こんなにも私にとって居《い》心地《ごこち》が悪いのかを。

私は知っているのだ。

ここにある絵を全部。

これらの絵の中の風景を、どれも私は見たことがあるのだ。

なぜ？

確信はあったものの、私の理性はその考えを必死に否定していた。そんなことは有り得ない。これは単なる既視感《デジャ・ヴ》なのだ。そんな気がするだけだ。

私は震える手で、入口で受け取ったチラシを取り出した。

高槻倫子。たかつきのりこ。知らない名前だ。私はこの画家を知らないし、以前にこれらの絵を見たことはないはずだ。招待状にも書かれていたではないか、初公開だと。私が生まれるより一年以上も昔に描かれた絵。そのまましまい込まれていた絵を、今回初めて遺作展として公開したのだと。そんな絵を、私が見たことのあるはずがない。

――にもかかわらず、私はたしかにこれらの絵を知っている。

ふたたびチカッ、と何かが光った。

私は思わず顔をしかめた。その金属的な光が神経を逆撫《さかな》でした。やっぱり何かに照明が反射してる、と腹立たしく思いながら辺りを見回す。

その時、またもやある考えが降って来た。

――この光は会場の中のものではない。

全身が凍りついた。

こ、こ、この光は私の頭の中で光っている、の、だ！

それが真実であることを悟った私は、あまりの混乱にその場を動けなくなった。

どうしちゃったんだろう、あたし？　何か悪いものでも食べたのかしら？　ひょっとして、今感じている悪寒《おかん》は、高熱を出して幻覚を見ているからなんだろうか？

今まで以上に激しい汗が、どっと全身に噴き出した。

まゆちゃん、お寺の石は動かしちゃいけないんだよ。

ぐにゃりと絵の額縁《がくぶち》が歪《ゆが》み始めた。上へ上へと額縁が伸びていく。

暑い、ここは暑すぎる。ほら、言わんこっちゃない、絵が溶けてしまうわ。周りの人たちの顔も歪み始める。陽炎《かげろう》のように眼鏡やネクタイが波打ってゆく。床がぐるぐる加速しながら回り始めた。ざわめきはいっそう大きくなる。声を出そうとしたが、言葉にならない。唇をあっぷあっぷさせているうちに、ようやく床にくっついていた足が動いた。

出よう、ここから。

私はつんのめるように身体《からだ》を前に出した。走ろうとすると、頭がガンガン痛む。肩が凝っているせいだわ。あまり肩が凝ると頭痛がしてくるの。なんでこんなに肩が凝るんだろう？　重いものを動かしたからよ。

身体はまったく言うことをきかなかった。あちこち人にぶつかり、ぶつかった人たちが驚いたように私を見るのが判った。

そんなことはかまっていられない。私は一刻も早くこの会場を出なくてはいけないのだ。

会場のざわめきがどんどん大きくなってきて、スピードを増して私に迫って来るような気がした。今や、うわんうわんとこだまする大音響だ。

出して！　ここから私を出して！

完全にパニックに陥っていた。心臓の音がどくんどくんと恐ろしい速さで全身を駆け巡っている。泣き叫びたいような衝動に駆られる。出ないとつかまっちゃうよ！もう少しで出口だったのに、私はまたしてもしくじった。

角を曲がって顔を上げた瞬間、あの絵が私を待ち受けていた。

展示の最後の一枚。最後の一枚にして最大の絵。

それは、あのポスターに使われた海の絵だった。

その絵は、たちまち私を捕らえにかかった。アッという間に、絵はどんどん大きくなって私に襲いかかって来た。暗くて熱い色彩が、怒濤《どとう》のように私に迫って来た。思わず腕を上げて攻撃をかわそうとしていた。

頭の中で、またチカチカと何かが瞬《またた》く。

打ち上げられた花火のように、それは激しく輝き、一瞬何も見えなくなった。

その輝きの向こうに、突然何かが見えた。

——手だ。

誰かが手を高く差し上げている。

（ハサミだ）

その手は、ピカピカ光る巨大なハサミを握っていた。

よく切れそうな、大きなハサミがぐんぐんスピードを上げ、みるみるうちにこちらに迫って来る。

ぶん、と風を切る音が耳のそばをかすめた。

私はこのハサミで刺し殺されるのだ！

首に強烈な衝撃が走った。

ビシュッ、とすさまじい勢いで真っ赤な色彩が目の前にぶちまけられた。

誰かが耳元で、ものすごい金切り声で叫んだ。

しかし、フェイド・アウトしていく風景の中で、私はそれが自分の悲鳴だと気が付いていたのだ。

2

下落合《しもおちあい》の駅から十五分も歩くと、完全に静かな住宅街だ。

その住宅街の中にある、五階建ての平凡なマンション。その二階のはじの2LDKの部屋が私の現在の勤め先である。

「現在の」という但《ただ》し書きが付くのは、この場所が仮住まいだからだ。

私の上司である浦田泰山は、近くにあるR大学で博物学を教える教授である。

短大を卒業して三年ほど勤めた都市銀行を退職した私は、R大学に雇われて三人の教授のかけもちの秘書をしていた。ところが、そのうちの一人は病気療養中、もう一人は海外長期出張中のため、今はその残り一人である浦田泰山の専任秘書のようになってしまった。

しかも、校舎の建て替えのため、一時移転を余儀なくされた建物が手狭《てぜま》で、三人の教授の荷物を運び込んだだけで立錐《りっすい》の余地もなくなってしまい、とりあえず浦田泰山の住居であるこのマンションに通うことになったのである。

しかし、2LDKのマンションといっても人の住まいという雰囲気はまったくない。

二つの部屋はまったく家具がなく資料と本の山に埋もれており、かろうじて人が行き来できるのは十畳ほどのリビングルームだけである。しかも、この部屋もどんどん本の山に侵蝕《しんしょく》されてきており、完全に占拠される日もそう遠くはなさそうだ。

私が初めてここにやって来た時も、キッチンにはやかんと湯飲みとどんぶりしかなかったのである。いったい先生はどうやって生きてきたのだろうと不思議に思ったものだが、ここに通ううちにやがて納得した。

浦田泰山、四十五歳、独身。

ガチガチのサラリーマン社会ですごしてきた私には、初めて見た彼は異常に新鮮であった。大学教授だと紹介されてもなかなか信じられなかった。

とにかく、三十分でも一時間でも同じポーズでじっと椅子《いす》に座っている。ほとんど瞬《まばた》きしないし、口もだらりと開いている。眠っているのか、考えているのか、本を読んでいるのか判《わか》らない。どの場合も同じ顔なのだ。かと思うと、突如部屋の中をダーッと走って行って、ガサガサと資料の山を崩し始める。そのうち静かになったなと思うと、いびきが聞こえてくる。本の山に突っぷして、眠っているのである。

どうやら彼は、極端に睡眠時間が少ないらしい。そもそも昼夜の区別というものをしていないらしく、気の向くままに読書や資料漁《あさ》りに没頭しているのだ。

その一方で散歩癖というのもある。お昼に冷やし中華を食べているなと思って見ていると、突然箸《はし》を放り出し、席を立っていなくなってしまう。待っていると、一時間も二時間も帰って来ない。そのために休講になってしまったことも珍しくない。

このように説明してしまうと、いかにも絵に描いたような変人なのだが、実際には、妙に人好きのする人間なのである。

浮世離れしているが、おおらかで間口の広い人柄なので、彼と話をするのはなかなか楽しい。だから、彼のところには来客が多い。どう見ても本業とは関係なさそうな人間が大勢出入りするので、見ていて飽きない。母性本能をくすぐるのか、けっこう可愛《かわい》い女子学生が訪ねて来るのも驚きだ。

最初は、トロそうな人だ、と思ったものだが、一緒に仕事をしていくうちに、彼の脳みその中には、われわれ凡人には及びもつかぬ広大な世界が収まっているのだと気が付いた。おそらく、周囲の人間などは、遠くのほうでうごめいているようにしか見えないのだろう。あんなぼんやりした顔をしているのに、数字にも強いし、なんといってもめちゃめちゃ記憶力がいいのだ。そのせいで、私の特殊な才能がバレてしまったのだが。

さて、かろうじて本に居住権を奪われずに済んでいるリビングルームにもたいした余裕はない。なぜなら、やたらと大きい先生の机がドカンと置かれているからだ。

この机、とにかくでかい。シングルベッドほどもある重厚なオーク材の机で、先生がイギリスに留学していた時に骨董品《こっとうひん》屋で買ったそうだ。なんでも、隠し引き出しが十三あるという代物《しろもの》で、この机を売ったマニアックな店の主人も開けることのできなかった引き出しが五個もあったというのである。

「この机にはずいぶん投資してるんだよな。船便で日本まで運ぶのに涙が出るほど費用がかかったし、引っ越すたびに金がかかる。日本のアパートやマンションの戸口からは絶対に入らないんで、いつも窓をはずしてクレーンで入れるんだけど、これがまたえらく金がかかるんだよ。しかも、この隠し引き出しを開けるのにいったい何時間費やしてると思う？　最初の八個を開けるのに一年。次の三個に二年。その次の一個に三年。最後の一個なんて、二十年は経《た》ってるのにまだだ。生きてるうちに開けてみたいものだなあ」

そうしみじみと言いながら机を撫《な》でる先生の口ぶりには、悲壮感すら漂うのである。

からくり家具というのは、書斎というものが発達した十八世紀から十九世紀ごろにヨーロッパで流行したものらしい。なんらかの特定の操作をすることによって、隠された引き出しや秘密の扉が開くというものだ。たとえば、六つの引き出しが縦に並んでいたとして、上から一段おきに全部の引き出しを開けておくと二段目が開くとか、どこかの引き出しを抜くと別の引き出しが開けられる、といった具合に。

先生は時々、ふと思いついたようにあちこちゴトゴト引き出しを開けては、その組み合わせをノートにつけているらしいのだが、いまだに最後の引き出しが開けられた気配はない。

「誰かが言っていたけれど、たしかに本というのは、床に置くと知らないうちに増殖するんだな」

先生が平積みになった本の山を崩しながら呟《つぶや》いた。

さりげなさを装っているが、その口調はどことなくぎこちない。

今朝、私が出勤してから無言でワープロを打ち始めたのを、いつになく心配そうに見ていたのに気が付いていた。

無理もない。ほんの一日前に、私は公衆の面前で金切り声を上げて気絶してしまったのだから。

あの日、目を覚ますと、会場の控え室に寝かされており、先生と、俊太郎と、もう一人見たことのない若い男の顔が上から私を覗《のぞ》き込んでいた。その男は展覧会のスタッフらしかった。

一瞬、自分に何が起こったのか把握できなかった。

倒れたんだよ、と言われて、初めて自分がどこにいるのか思い出したのである。

身体《からだ》を起こしても、しばらく夢うつつだった。気絶する前に味わった異常な感覚と、自分が気絶したというショックで感情が麻痺《まひ》しきっていたのだ。

「病院へ行きましょう、車を呼びますから」

図体《ずうたい》の大きい割りに気の弱そうなその若い男がしきりに勧めたが、私はそれを断わって電車で家まで帰った。家に着いてもしばらく呆然《ぼうぜん》としていたが、夕食も摂《と》らずに寝てしまったのだ。

「――万由子、食欲はあるか？」

おもむろに、先生が神妙な声で切り出した。

「食欲？　そうですね、最近ようやく涼しくなってきたから少しは」

私はワープロの画面から目を離さずに答えた。

「夜はよく眠れるか？」

先生の質問は続いた。

「ええ。夏の疲れが出たせいかぐっすりです」

「急に息切れしたり、心臓がどきどきしたりすることはない？」

そこまで来て、初めて私は先生の意図を理解した。

「先生、まさか私がノイローゼになったと思ってるんじゃないでしょうね？」

手を止めて睨《にら》みつけると、先生はちょっと慌《あわ》てた。

「いやあ、何か悩みがあるんじゃないかと思って……このところ講演会の準備とか本の出版とかが続いたから、過労がひきがねになったのではないかと」

「たしかに過労です。慰労してください。私ね、赤坂のグラナータに行きたいなあ」

「ふむ、グラナータね。それはいいな。ここんとこまともな飯食べてなかったし。よし、今日はもうやめよう。赤坂行こう」

先生がすっかりその気になったので、半分冗談だった私は慌てた。

「待ってください、この原稿、今日じゅうに打たなきゃいけないんですから。打ち終わってからにしましょう」

「いいよ、そんなの明日で」

「先生はよくても明日皺寄《しわよ》せが来るのは私です。あと一時間くらいで終わりますから辛抱してください」

「うーむ」

その時、恐ろしく間の抜けた音で玄関のチャイムが鳴った。

私と先生は顔を見合わせる。

「今日、誰か来る予定あったっけ？」

「なかったと思いますけど。俊太郎かしら」

私は立ち上がってインターホンの受話器を取った。

「はい、浦田です」

「――あのう、わたくし、タカツキと申しますが、浦田先生にお目にかかりたいのですが。大学のほうを訪ねましたら、今はこちらだと伺いまして」

受話器の向こうで若い男の声がした。

「お約束ですか？」

「いえ、約束はいただいておりません。急に思いたって訪ねて来てしまったんですが。あ、セールスではございません。個人的な件で恐縮なんですが、ぜひ先生にご相談したいことがございまして」

声はぎこちなく、訪ねて来ておきながら、本人が当惑しているようだった。

私は首をひねった。

「タカツキさんて、ご存じですか」

振り返って先生の表情を窺《うかが》う。

先生はちょっと考えていたが、奇妙な表情を浮かべ、中に入れろ、というジェスチャーをした。

そこには、熊《くま》のプーさんみたいな男が立っていた。

その男はどことなく人を喰ったような、現実離れした雰囲気を持っていた。

ぽっちゃりした大柄な身体。整髪剤のついていない髪。丸い目に丸い眼鏡、生えかけた無精髭《ぶしょうひげ》。明らかに背広を着つけない職業らしく、淡いブルーのスーツがまるで似合っていなかった。三十代前半というところだろうか。垢抜《あかぬ》けてはいないものの、世間ずれしていない育ちのよさが感じられた。

しかし、顔にはなんとなく見覚えがあった。

どこで見たのだろう？

男のほうでもチラチラ私の顔を見ている。相手も私のことを知っているようだ。

「お忙しいところを突然訪ねて来てすみません。お時間は取らせませんから」

男は恐縮しきって部屋の中に入って来た。その様子には、ここまで来ても、本人にも目的が判っていないような頼りなさが漂っていた。

彼と先生が目を合わせた瞬間、この二人は似ているな、と思った。

見た目は全然似ていないのだが、なんとなく、内蔵しているものが同じ種類のものだという感じがしたのである。

先生が、ああやっぱり、と唸《うな》った。

「昨日はどうもお世話になりました。立派な展覧会にご迷惑をかけたのでなければいいんですが」

先生が立ち上がって頭を下げた瞬間、私はようやく、昨日上から覗《のぞ》き込んでいた顔を思い出した。

道理で知っているわけだ、あの時のスタッフではないか！

たちまち、かあっと頭に血が昇って来るのを感じた。

なんてみっともないところを見られたんだろう！

同時に、あらためて、大勢の人のいる場所で醜態をさらしたのだという羞恥《しゅうち》が一気に押し寄せて来て、逃げ出してしまいたくなった。

「いえいえ、とんでもない」

男は慌てて手を振った。

「すみません、ああいう展覧会を開くのは私も初めてで、不慣れだったんです。昨日は、予想を上回る数のお客様が見えられて、会場の空気が相当悪かったみたいで。他にも何人か気分のすぐれないという方が出ましてね、こちらこそご迷惑をかけて。もう、大丈夫ですか？」

男は、穏やかな目で私を見た。私は恐縮した。

「ええ、何ともなかったですし、今日はもう全然。すみません、私のほうからお詫《わ》びに行くべきでしたのに」

「私はそんなつもりで来たわけじゃありません。じつは、あとで、お客様の中にあの方があの『散歩の博物誌』を書かれた浦田泰山先生だと教えてくださった方がおられまして……私、あの本をたいへん面白く読みましたんで、こうして訪ねてみようかと思った次第でして」

男はちょっとしどろもどろになった。

ふと違和感を覚える。

そんな理由でわざわざ、いい歳《とし》をした大人の男が平日の昼間にこんなところまでやって来るだろうか？　しかも、アポなしである。

　さりげなく先生の顔を見る。先生もどうやら同じ感想のようだ。

「それはたいへん嬉《うれ》しく思いますが、本当にそれだけの理由で、今日いきなり訪ねてらしたのですか？　会社まで休んで？　失礼、何のご職業かは存じあげませんけど」

　先生はのんびりした口調で腕組みをして尋ねた。

　男は明らかにぐっと詰まった。

　部屋の中に不自然な沈黙が落ちる。

「えーと、確かタカツキさんとおっしゃられましたよね。とすると、あの展覧会の高槻倫子というのは」

　ふと先生が呟《つぶや》いた。私も初めて気が付く。

「母です。私は一人息子の高槻秒《びょう》と申します」

　男は決心したように顔を上げた。

　私は何となくギクリとした。

　あの絵を描いた女の息子。

　急にまた、胃袋の中に緊張感がよみがえるのを感じた。

　すっぱりと、おそらく意識的に忘れ去ろうとしていたものが背中を這《は》いのぼって来る。

男の後ろにあの灰色の海の絵が見えてくるような気がした。

私はいたたまれなくなって思わず顔をそむけ、コーヒーを淹《い》れる準備をしようと立ち上がった。

「わざわざここまで足を運んでくれたというのは、よくよくの理由があってのことだとお見受けします。私を見込んで相談しようと思ったのなら、正直に話してくださいませんかね。今日は私も暇ですし。彼女が気になるようなら、はずさせましょうか？」

先生はリラックスしてだらりと身体を傾けた。これは、先生がよほど相手の話に興味を持った証拠である。先生は、興味を惹《ひ》かれれば惹かれるほど、ぐにゃぐにゃになってしまう。そうやって興味の対象からすべてを吐き出させて、それを吸い取ろうとするのだ。

それまではためらいがちだった男も、先生がどっかりと腰を据えたのを見て決心がついたようである。所在なげに椅子《いす》の上に詰め込んでいた大きな身体をなだめるように座り直すと、話し始めた。

「最初に断わっておきたいのは、これが荒唐無稽《こうとうむけい》な話だということを私自身が充分承知っているということです。私はどこの宗教団体にも属していないし、いわゆる超常現象を体験したこともなく、信じてもいない。ついでに言うなら、私は電気工学系統のエンジニアとして世間でそれなりに認められています。とにかく、私は理性的に話すつもりですし、理性的に話を聞いていただきたい。そちらのお嬢さんもぜひ、ご一緒に」

そのまま席をはずそうとしていた私は、いきなり呼ばれてどきりとした。

私も一緒に？　なんでまた。

先生がゆったりと頷《うなず》き、私もコーヒーを出してから、しぶしぶ椅子に座った。

男が生唾《なまつば》を飲んで顔を上げた。

「先生は生まれ変わりというものを信じておられますか？」

一瞬、部屋の空気が静止した。

先生の顔に、かすかな失望と苦笑が浮かぶ。

同じことを私も感じていた。やっぱりその手の話だったのか、という感想だった。

言葉に詰まる先生を見て、高槻秒は苦笑いすると、肩をすくめ手のひらをこちらに向けた。

「すみません、やはりちょっと誤解させてしまったようですね。違うんです、そういう話ではないんですよ。質問を変えましょう。浦田先生は、私の母について――高槻倫子という画家についてどの程度ご存じですか？」

自分の考えを見透かされて、先生はちらっと恥ずかしそうな顔をした。

秒は気を悪くした様子もなく、静かに先生の返事を待っている。

「うーん」

先生は、突き出たおなかの上に腕組みをして、細い目をしかめて唸った。膨大な記憶を探っている時のポーズである。

「――当時はとても新鮮だったんだよ。ようやくイラストレーションという分野が日本でも確立されてきた時期で。彼女の絵は、色も線も題材も、モダンで洗練されていた。通俗性と芸術性のバランスが絶妙だったし、本人はすごい美人ときているし、たちまち人気が出たんだ。最初はなんだったかな、何かのイベントのポスターで認知されたんじゃなかったかな。画集も二冊、続けて出た。えーと、タイトルは――そうそう、『不安な童話』と『遠ざかる王国』だ。それが評判になった矢先に、急死した。でも、今にして思えばたいしてくわしい報道がなかったのが不思議だな」

「それだけ覚えてててくださるなんて――母の画集のタイトルを覚えていてくれる人な

んて、珍しいですよ」

高槻秒は感動を隠さなかった。

「あの遺作展で展示してあった絵は、今回が初公開ですよね？」

先生が尋ねた。

「はい」

「お母さんが亡《な》くなった直後には公開されなかった？」

「そうです」

「どうしてですかね？　あんなに人気絶頂だったんだから、誰だってセンセーショナルに遺作展を開こうと考えるんじゃないですか？　失礼な言い方かもしれないけど、そのほうがインパクトもあるし、ずっと儲《もう》かったはずだ」

「そうですね。私もそう思います。でも、当時は公開できなかったのです」

「なぜ？」

「母の死が変死だったからです」

「変死というと――」

「殺されたのです」

秒があまりにもあっさり答えたので、私は思わず聞き流してしまいそうになった。

部屋の中の気温が急に下がったような気がした。

「――犯人は？」

先生の声が低くなった。

「わかりません。今もつかまっていません。結局、通り魔的な犯行だったということになっているようです」

秒は落ち着いた声で答えた。

「――当時、私は六歳でした。私は、母が殺された直後の現場を見ているのです。母と私は、毎年すごす海辺の避暑地に例年どおり一週間ほど滞在していました――母は、毎朝散歩する海辺で誰かに刺し殺されたのです。私が気が付いた時には、波打ち際《ぎわ》に倒れていました。最初、私にはその意味が判《わか》らなかった。母に近づいて行って海に入った時に初めて、ものすごい量の血が海に広がっているのに気付いたんです。波が引いた瞬間、自分の服や靴が真っ赤に染まっていて――私はパニックに陥りました。一時的な錯乱状態にあったようです。半年くらい口のきけない状態が続きました。根気よく医者が治療してくれたおかげでなんとか立ち直りましたけど」

その淡々とした調子から、彼がその説明を何度となく他人にしているのだろうということが推し量られた。説明するのは簡単だが、その事実を受け入れるのには、さぞかし多くの時間がかかったことだろう。

私も先生も、何も言えなかった。

「わが家の打撃は深刻でした。母の存在は、誰でもそうでしょうけど、特にわが家では絶対的なものだったんです。私は父に似て、まったく芸術的センスのない男です。この歳になると、父の気持ちがなんとなく判るんですよ。一介の技術屋のサラリーマンだった父が、母をどんな気持ちで見ていたか、父にとって母がどういう存在だったか。私も父も、美しくて芸術家である高槻倫子という存在をほとんど崇拝していましたのでね。父にとって、母を失ったこと、しかも誰かに殺されたというのは、あまりにも手に余る、耐え難い事実だったようです。ましてや母の死がスキャンダラスに扱われることなど、我慢できなかったでしょう。母の死で世間が騒がないようにずいぶん手を尽くしたようです」

「だから、絵も公開しなかったんですね」

「ええ。この二十五年、ずっと物置にしまいこんだままでした。父は私が高校生の時に病気で他界しました。本当は、父は、自分が死んだらすぐに絵を焼却するようにと言い残していたんです。でも、私にはどうしても処分できなかった。父だって、結局自分の手では捨てられなかったんですからね。母はとても神経質な人で、作品一枚仕上げるのに、ものすごく手間をかけていました。どんなに苦労して絵を描いてたか知ってた父に、母の絵を処分できるはずはなかったんですよ。そして、私にもね」

話がとぎれた。

私は小さく溜息《ためいき》をついた。

「――それで、その話と最初におっしゃられた生まれ変わりというのとは、どこでつながってくるんですかね？」

じっと話を聞いていた先生がポツリと尋ねた。

秒はかすかに笑った。

「母はなんというか――ちょっと変わった人でした」

短い間《ま》。

「いわゆる芸術家肌の人だったということもありますが、とても勘のいい人だった、というのを子供心にもよく覚えています。どう説明したものか――たとえば、人が失《な》くしたものを見つけるのが得意でしたね」

私はギクリとした。

恐る恐る先生の顔を見ると、私に目を走らせた先生と目が合った。

いったいこの男は何を言い出そうとしているんだろう？

私はあらためてまじまじと目の前の男の顔を見た。最初の頼りなげな様子が消え、今ではすっかり落ち着いた目の色になっている。

「それは、具体的にはどういうことですか？」

先生が真剣な目で訊《き》いた。

秒は、私たちの雰囲気が変わってしまったことに気付いていない。

「そうですね――何かを失くしてしまった、どこかに置き忘れて来てしまった、という話を母にしたとしますよね。手袋とか、バッジとか。そうすると、母がじっと私を見て、『それ、あなたのベッドの下に落ちてるわ』とか、『幼稚園の壁にかかってるスモックのポケットに入ってるわ』とか言うんです。そんなはずは、と思って見てみると、たしかにそこにある。つきあいのない人でもそうなんです。父がのちのちまで不思議がって何度もしてくれた話があります。父が会社で大事な書類を失くしたとこぼしていた時、母がじいっと父の顔を見て言いだした。『髪の長い、とても痩《や》せた女の子がいるでしょう。その子が知ってると思うわ。彼女が黒い紙袋に入れたのよ』って。父は半信半疑で調べたそうです。結果は母の言ったとおり。いつのまにか違う書類に混ざってしまって、女の子が袋にしまっちゃったんだそうです。母いわく、父の後ろに書類を束ねて紙袋に入れる女の子が見えたんですって。万事こんなふうでした」

先生も私も黙りこくった。

二人とも同じことを考えているのは間違いなかった。

似ている。私と。

「それで——母は、どうやら、自分の死を予期していたようなんです」

突然やって来た男が、次から次へと驚くべきことを言いだすので、私も先生も反応にとまどっていた。ここまでの話で、すでに一年分くらいの驚きだったのに。

「母の遺作展の絵。あれはすべて死ぬ直前の一週間に描きあげられたものです。母はものすごい勢いで絵を完成させていました。いつも少しずつ少しずつ絞り出すように絵を仕上げていた画家とは思えないほどです。その中に、今回の遺作展には出すことのできないスケッチがたくさん残されていました。どれも同じ構図です。女の人が波打ち際に倒れている絵。母は、自分の死んでいる風景を何枚も描き残していたんです」

部屋の中の気温が、ますます下がってきているような気がした。

さっきまでと同じ部屋には思えなかった。この男を部屋に招き入れた時から、少しずつ少しずつ、私たちの運命は変わってきてしまっていたのだ。

ふたたび、説明のつかない不安が胃を重くする。

秒はふたたび口を開いた。

「母は本当に特別な人でした。あなたたちも会っていたら、きっとそう思ったことでしょう。母は生まれ変わりを強く信じていました。死ぬ直前にも、私はいつか必ず戻って来るから、絶対に戻って来るから待っていて、と何度も口癖のように呟《つぶや》いていました。私も漠然と、きっとそうに違いない、母は必ず戻って来てくれるに違いない、と思っていました。あの人が戻って来ると言ったら絶対戻って来る。そういう人なんです」

秒の口調は冷静だったが、熱を帯びていた。

「——それで？」

先生が身じろぎもせずに先を促した。

秒はちょっと笑った。それは、あまりにも無邪気な笑顔だった。

「私は昨日、母が戻って来たんだと思ったんです」

確信に満ちた声で答えると、秒はゆっくりと照れたように私に向き直った。

その、澄んだ子供のような瞳《ひとみ》は私をゾッとさせた。

知っている、彼は知っているのだ。私が昨日あの会場で体験したことを。

「あなたはあの時、ハサミが、ハサミが、と口走っていました。覚えてます？　よろしければ、あなたが昨日見たものを話していただきたいんですけど」
私の身体《からだ》は石のように硬直していた。
じっとりと冷や汗が首筋を伝い始める。
それでも、私は秒の視線をはずすことができなかった。
秒はゆっくりと呟いた。
「私の母は、布切りバサミで刺し殺されたんですよ」

【第二章】

海に向かう道は、長くねじれている

1

テーブルに大きな皿が運ばれて来て、先生の視線はそちらに釘付《くぎづ》けになった。帆立《ほたて》貝や海老《えび》の焼けた香ばしい匂《にお》いが、ともすれば萎《な》えそうな食欲を刺激する。

たっぷりとオリーブオイルをかけながら先生が尋ねた。

「どう思う？　あの男の話」

「どう思うと言われても」

私は力なく笑って、すっかり泡の消えたビールを一口飲んだ。

「すっごく怖かった。だって、あたしは実際にハサミが自分の首に刺さる感触を体験してるんですよ。ほんとに鮮明だったんだから、血の噴き出すのまで感じたし」

「本当に見たんだろうな？　まさか、あの男と万由子で俺をかついでるんじゃないだろうな」

先生はほんの少し、本気でその可能性を考えたらしい。

私は逆上した。

「冗談じゃないですよ、そんなことしてあたしに何の得があるっていうんですか。ああ、あんなとこに行くんじゃなかった。じっとワープロでも打ってればよかったわ」

私は皿の海老にブスリとフォークを突き刺した。そうしたあとで、思わず自分の行為に対して嫌悪感《けんおかん》を覚えた。


どっと笑いさざめくほかのテーブルのお客たち。

暖かいオレンジ色の色彩の照明の下でてきぱき働くウエイターたちを見ていると、ほんの一時間前に下落合の部屋で展開されていた出来事が悪夢であったとしか思えない。それほどあの男の話は奇妙だった。

「だって、どうします、先生だったら？　あなたは私の母親の生まれ変わりだから、母が死んだ時の状況を思い出してほしい、なんて初対面の人に頼まれたら」

「そりゃ、喜んで引き受けるに決まってるだろ。俺はそういう話大好きなんだから」

先生は胸を張る。

「そんなことで胸張らないでくださいよ、もう」

訊《き》いた相手が悪かった。泣きたいような気分になる。

「あの男の目的はなんだろう？　少なくとも、現時点の情報だけでは、あの男があの話を本気で信じているのでないかぎり、こんなことをしても彼には何もメリットがないように見える」

「本気だから困るんじゃないですか」

私の当惑にはおかまいなしで喋《しゃべ》り出した先生に向かって毒づく。

「うん、本気だった。M電器のエンジニア、一流企業だ。わざわざ会社を休んであんなところにやって来る。これは普通のサラリーマンにはけっこう決心がいることだな。しかも、あんな奇妙奇天烈《きみょうきてれつ》な話をしに。うん、これはやっぱり本気だったからとしか思えん。でも、名刺なんていくらでも作れるからな。あとでいちおう、本当にこいつなのかどうか調べとこう」

あの男の名刺を取り出して眺めながら先生はぶつぶつ呟《つぶや》いた。

「当たり前でしょ」

ふてくされる私に、先生はまあまあ、と指を振ってみせた。すっかりこの状況を楽しんでいるようなのが、ますます腹立たしい。

「判《わか》らんぞ、他に何か理由があるのかもしれない。手の込んだセールスかもしれないし、もしかして万由子に一目惚《ひとめぼ》れして近付こうとしているのかもしれない。おお、こういうことも考えられるな。俺があのマンションにいるとマズイ、とかね。俺をあの部屋からおびき出したい。じつは、俺の持ってる古書の中に、俺が気が付いていないだけですごい価値のある本があるとか、下の部屋でニセ札を作ってるとか。うんうん、可能性は無限に広がるな」

「まさか。彼は近々挙式予定だそうだし、そもそもなぜ私があの会場であんなものを見たかっていう説明には全然ならないでしょ」

「うん、そうなんだな」

先生はあっさり認めた。細い目を左だけちょっと見開いてみせる。

「嘘《うそ》ではない。彼は嘘をついてはいない。彼は真実を語っている。だとすると、これはどういうことになるのか？」

私はちょっと口に出すのをためらったが、思いきって言った。

「つまり、あたしが本当に高槻倫子の生まれ変わりだってことですね」

「ふむ。そういう可能性もあるということになる。万由子はたしかに今まで、高槻倫子も高槻秒も知らなかったんだな？」

「ええ、昨日までは。あたしも必死に思い出してみたけど、あたしが生まれたのは高槻倫子の死んだあとだし、高槻秒と接触したことがあったとはどうしても思えないんです。だいいち、何度も言うようだけど、あの絵は今回が初公開なんでしょ？　家族でさえ見たことがなかった絵を、まったくの赤の他人であるあたしが、どこかで見てる可能性なんてかぎりなくゼロに近いと思うんですけど。やだな、こうやってつきつめていくと、やっぱりそういう結論になっちゃうじゃない」

「あの展覧会を見に行こうと言ったのは、万由子だったよね。何か特別な理由でもあったの？」

先生がふと思い出したように尋ねた。

その点については、私もずっと考えていたのである。

先生のマンションには、毎日ものすごい量の郵便物が来る。

博物学という、やたら幅が広くて正体の知れない学問をやっているうえに、趣味や好奇心の対象は数知れず。来る者は拒まないうえに、人好きのする性格。どれを取っても郵便の減る理由は見つからない。しかも、最近余興で出した、博物学のこぼれ話的な本が好評で、講演やイベントのゲストにという依頼がぐんと増えた。名前が売れるとなれば、ますます郵便は増える。カタログやPR誌、別荘や土地のセールス、金融商品や健康食品の勧誘。ダイレクトメールは機械的に処分するが、それでも出版社からの新刊案内や展覧会の招待状など、先生が興味を示しそうなものがかなり残る。それらはひとまとめにして部屋の隅にある竹の籠《かご》に立てておく。

暇な時は、それらの中から適当にピックアップして、展覧会を見に行くのだ。

今回も、立て続けにあった講演会の準備で忙しかったのが一段落して、何か見ようということになった。それで、無作為に抜き出した展覧会の招待状が、高槻倫子のものだったのである。


「べつに理由はないですよ。いつもどおりあの籠の中の案内状をパラパラ見てて、あの海の絵のハガキが印象的だったから、これにしようかなって思っただけです。本当に、それ以外の理由は何も」

私はあのハガキを抜き出した時の感情を思い出そうとしながら答えた。

何気なく。本当に何の気なしにあのハガキを抜いたのだ。

ほかのハガキが地味だった中、あの海の絵は心動かされるものがあった。

「あのハガキを見た時何か感じた？」

「とくに何も。久しぶりに絵を見るのもいいな、って。展覧会で見たようなものは全然感じませんでしたよ」

私は肩をすくめた。

一瞬脳裏を疑問がかすめる。それとも、無意識に何かを感じていたのだろうか？　何かを予感して、あの招待状を選び出していたのだろうか？

「だとすればすごい偶然だなあ。高槻倫子が万由子を呼んだのかもしれん」

「やめてくださいよ、気味が悪い」

私はゾッとして悲鳴を上げた。

ウエイターがやって来て、今度はトマトソースのパスタを持って来た。

しばらく二人は無言で食べ続ける。せっかくのパスタの味が素直に楽しめない。

「――万由子は、いわゆる『生まれ変わり』についてどの程度知ってる？」

半分を腹に収めたところで、また先生が話しかけた。

「全然。テレビのオカルト番組の知識程度ですね。『私は恐山《おそれざん》に前世《ぜんせ》を見た！』とか」

私は警戒しながら答えた。

「最近ね、エジプトのピラミッドに新説が出たの知ってる？」

先生はズルズルとパスタを飲み込み、さりげなく言った。

「ピラミッド？」

なんでそんな話になるのだろう。

「素人《しろうと》学者が出した新説なんで、学界ではまだ認めたがらないんだがね。ナイル川に対するピラミッドの配置が、天《あま》の川《がわ》に対するオリオン座の配置を完全に模《も》している、っていう説でね。ピラミッドはご存じのとおり謎《なぞ》の多い建築物だ。昔から、ピラミッドに開いている細い斜めの坑道がいったい何のためにあるのか、というのが最大の謎の一つとされていたんだが、その新説では、ここから星を見て、王の再生の儀式を行なうのではないかと言うんだね。オリオン座というのは、一年じゅう見られる星ではないことから、再生のシンボルとされていたらしい」

先生はナプキンで口を拭《ぬぐ》った。

「生まれ変わりというのは、世界じゅうで古くからある思想なんだよね。『死者の書』と呼ばれる、死者が再生する過程をえがいた書物もあちこちにあるし。最近ではチベット仏教のが有名になったよね」

「チベット仏教？」

「ダライ・ラマ十四世って知ってる？」

「高校の世界史以来ごぶさたしてる名前ですね」

先生はくいっとワインを飲み、講義口調になった。

「チベットは、ダライ・ラマという高僧を頂点とする、政教一致を目指す国家だ。輪《りん》廻転生《ねてんしょう》思想が非常に広く浸透していて、人は死んでから四十九日目にふたたび別の生に生まれ変わる、と信じられている。ダライ・ラマ十三世が死んだあと、彼の生まれ変わりを探すために国じゅうに調査団が派遣されたんだ」

「まさかあ」

私が失笑したのを、先生はチラリと横目で見る。

「ちゃんと見つかったんだよ。ダライ・ラマ十三世でなければ知らないような事柄をいくつも覚えている少年が。その少年は僧としての修行を積み、十五歳で即位する。それが現在のダライ・ラマ十四世」

「信じられない」

世界は広いものだ。現代にそんな国があるなんて。

先生はボトルからワインを注いだ。

「まあ、それは極端な例だけどね。輪廻転生が信じられているチベットでもやはり、生まれ変わりというのは奇蹟《きせき》なんだよね。でも、アジアは仏教が強いから、そういう例は古くからあちこちで報告されている。そもそも仏教というのは、人間が生・老・病・死という苦しみを背負って永遠に生まれ変わり続けることから解脱《げだつ》する、というのが目的なんだから。科学万能主義を謳歌《おうか》していたアメリカですら、今や『生まれ変わり』という事象が存在するということが認められている。それがなぜ起こるか、なんのために起こるのかは判らないけれど、そういうことが実際起きるということは認められている」

「へえ」

先生はメニューを頼み、私たちはメニューの中にその答があるかのように神妙な顔でデザートを選んだ。

「万由子は臨死体験て知ってる？」

「聞いたことあります。死にそうになった時とか、いったん心臓が停止してから蘇生《そせい》した人が同じような体験をしてるって話でしょ」

「うん。よく言われるのには、暗いトンネルの向こうにまばゆいばかりの美しい光が見えるとか、きれいなお花畑の中に川が流れてる風景が見えるとかね。それで、ずっとそこにいたいほど気持ちがいい。けれど、誰かから呼び戻されたり、川の向こうの誰かに拒絶されて嫌々引き返したら息を吹き返した、ってパターン」

「昔からよく聞く話ですよね。夢でも見てたんじゃないですか」

「そこが問題なんだ。人間の脳は、激しい肉体的苦痛に見舞われた時、一種の麻薬に似たホルモンを分泌《ぶんぴつ》するらしい。こういった風景は、それが引き起こす幻覚なのではないかとも言われている。脳の特定の場所を刺激すると、音楽が聞こえたり同じ行動をしたりするというのはよく知られているからね。だから、実際に体験しているのかどうかはまだ判らないんだ」

こういう話題になると、先生はいくらでも続けられるらしい。

「ショスタコーヴィッチの脳には、戦争で受けた弾丸の破片が残っていて、それが絶えず脳を刺激してたらしいよ。とにかく、ひっきりなしに頭の中に音楽が流れてたんだそうだ。彼もそれが破片のせいだと自覚していて、これを取ると音楽が聞こえなくなるから取らないでくれ、と医者にも頼んでたんだって」

アイスクリームが来た。

「ただし。ホルモンでは説明できないことが、この臨死体験には残っている」

先生はスプーンを舐《な》め舐め話しだした。

「なんですか？」

「幽体離脱だ」

「ユウタイリダツ？」

「臨死体験で、もうひとつ多く語られるパターンがある。それは、自分が自分の身体《からだ》から抜け出して、自分の肉体を高いところから見下ろしている、という体験だ。この場合、体験者は、昏睡《こんすい》状態の自分に対して医師や看護婦が行なった処置、人によっては隣りの部屋の家族の言動や離れたところにあるナースセンターの看護婦の取った行動まで見ている。これは、とてもホルモンだけでは説明できない」

「つまり、死ぬ時に、人間の意識は肉体を離れて行って、やがてまた別の肉体に宿る、という人間生まれ変わり説の証拠になるってことですよね」

「少々乱暴ではあるがね」

「科学的な説明ができる日って来るのかしら」

「さあね。科学というのは、霊的な存在であるはずの人間というものをあまりにも高く超えてしまったからなあ。これからは、うまく言えないけど、科学が進歩すればするほど宗教に近づいて行って、静かで霊的な時代が来るような気がするねえ」

「霊的な、ですか」

「うん。あとね、最近判ってきたことには、母親が出産する時、子供の脳が、やはり出産時の苦痛を和らげるために、ある種のホルモンを分泌するらしい。これが、記憶を消してしまう働きを持っているんだそうだ」

「記憶を？」

「そう。動物実験でこのホルモンを注射すると、それまで学習したことを忘れてしまうことが確認されたんだって。だから、人が生まれてくる時に、このホルモンが前世の記憶を消してしまうのではないか、と言われているんだ」

せっかくおいしい料理で人心地《ひとごこち》ついたと思ったのに、いつしかまた、周囲の空気の温度が少しずつ下がってきたような気がした。

「――あたしって、本当に高槻倫子の生まれ変わりなんでしょうか」

すっかり心細くなって、私は小さく呟《つぶや》いた。

「俺が見たかぎりでは、典型的な要素を満たしてはいるね」

「典型的な要素？　そんなものがあるんですか」

驚いて聞き返す。

「例をあげてみようか。有名な話がある。イギリスのポロック姉妹のケースだ。一九五七年の五月五日。イングランド北部のヘクサムという町で、ポロック夫妻の二人の娘、ジョアンナとジャクリーンは歩道に突っ込んで来た車に轢《ひ》かれた。二人とも即死。当時ジョアンナは十一歳、ジャクリーンは六歳だった。それから約一年後、ポロック夫人は妊娠し、双子の女の子を出産する。二人はジェニファーとジュリアンと名付けられた」

「まさか」

「成長してくるうちに、双子はそれぞれジョアンナとジャクリーンの記憶を持っていることに夫妻は気が付いた。それぞれの二人の鉛筆の持ち方の癖、それぞれが使っていたおもちゃを、二人は覚えていた。初めて行く町の中の公園や、学校の場所を覚えていた。しかも二人には、ジョアンナとジャクリーンが生前に持っていたのと同じところにアザがあったんだ。このケースは、いわゆる『生まれ変わり』という現象の主なパターンにあてはまっている。世界じゅうで見られた『生まれ変わり』のケースを見ると、いくつかの共通点があるんだな。まず、生まれ変わって来る人は、圧倒的に不慮の事故によって亡《な》くなった人が多い。交通事故や天災、あるいは殺人」

思わずビクッとする。

変死。母は殺されたのです。

「次に、亡くなってから次に生まれて来るまでの期間がだいたい一年以内、どんなに長くても二年ぐらいだという。かなり年月が経過してから生まれて来る事例は稀《まれ》だそうだ」

私の生まれる一年前に。

顔がこわばってくる。

「そして、事故や災害で亡くなった場合、生まれ変わってからも、前世の死の原因となったものに恐怖を覚えたり、前世で外傷を負った箇所にアザや何らかの痕跡《こんせき》が残っていることが多いという」

無意識のうちに首筋を押さえていた。指がその箇所を触っている。

「──あのう、たいへん失礼なことをお訊《き》きするんですが、あなた、首にアザはないですか？」

「アザ？」

あの時、秒も私にそう尋ねた。

彼も、生まれ変わりにそういうケースが多いことを知っていたに違いない。

「母は、首をハサミで刺されたのが致命傷になったんです」

私は反射的に首筋を押さえた。

気絶する前に感じた衝撃。あの箇所、あの箇所はたしかに──

「──あります、ここに。子供のころから楕円《だえん》形のアザが。何が原因かはよく判《わか》らないんですけど」

秒はそれだけで何も言わなかったが、目には興奮が浮かんでいた。

自分でもすっかり忘れていた身体の特徴を言い当てられるのは気分のよいものでは

ない。

私は不快な気分を隠しきれなかった。

秒はおもむろに一枚の紙切れを取り出した。

「――じつは、私の話はこれからが本筋なんです」

「本筋？」

「はい。私は、この秋に結婚するので家を片付けていたのです。そもそもこの展覧会を開くことになったのも、物置の母の絵を整理しようとしたのがきっかけなんですよ。どうせ整理するならと、とんとん拍子に展覧会の話がまとまりまして、親戚《しんせき》や母が世話になっていた方々と、展覧会に出す絵を選んだり運び出したりしているうちに、これを見つけたんです」

秒は、その紙切れを広げた。

私と先生は恐る恐る覗《のぞ》き込む。

どうやら手紙のコピーらしい。いささか癖のある乱暴な字で走り書きしてある。

「私が死んだら、次の人たちに私の描いた絵を贈るように。

伊東澪子《みおこ》　犬を連れた女

矢作《やはぎ》英之進　曇り空
十和田景子　黄昏《たそがれ》
手塚正明　晩夏

一九六九年八月二十九日　高槻倫子」

その字は、なんとなく見る者をゾッとさせる字だった。

女性の字とは思えない。書いているそばから文字がバラバラに解体されていってしまうような、まとまりのない筆跡なのである。名前や絵のタイトルも不揃《ふぞろ》いで、紙の上に無造作に投げ出されたように書かれている。

「これは、お母さんの」

先生が顔を上げた。

秒は頷《うなず》く。

「遺書です。この日付の二日後に母は殺されました。この手紙は、母が死の直前に描きあげた絵の一枚のキャンバスの中の、布地と木枠の間に突っ込んであったんです。今まで誰にも発見されずに」

「ここに書かれた名前を知っているのですか？」

「僕自身は面識はありません。母が生前親しくしていた方たちのようです。母は人の好き嫌いが激しくて、ただの知り合いくらいで絵を贈ろうとは思わない人でしたし」

話が一瞬とぎれた。

私も先生も、秒の真意が計りかねた。

事実かどうかはともかく——彼が私のことを、彼の母親の生まれ変わりではないかと思っているということはとりあえず理解した。だが、それと、見つかった遺書とが私たちにどう関係してくるというのだろう？

「——で？　それが私とどう関係あるんですか？」

しびれを切らして尋ねると、秒はふたたびためらった。

ここまでさんざんわけの判らない話をしてきたくせに何を今さらためらうのよ、と心の中でぼやいていると、秒は聞き取れないほどの小さい声で答えた。

「思い出してほしいんです」

「思い出す？」

私は怪訝《けげん》そうな声で繰り返した。

「はい。母が死んだ時の状況を」

「え」

私は思わず身を引いた。

「じつは、この人たちに母の絵を渡す約束を取り付けてあります。それで、私と一緒にこの人たちに会ってほしいんですよ」

「そんな、なんで私が」

それまでは気の弱そうな青年だった秒の顔に、急に何か激しいものが剝《む》き出しになり、思いがけない芯《しん》の強さが窺《うかが》えた。この人仕事はできるのかもしれない、と一瞬関係ないことを考えた。

「今までの私は、自分の人生を築くのに必死でした。母を失い、父を失い、なんとか自分の領分を確保しようとがむしゃらにやってくるのに精一杯で、何も考える暇がなかったんです。今回、母の絵を片付けていて、ようやくちょっとだけ後ろを振り返ってみる余裕ができて、僕は愕然《がくぜん》としました。何も知らない。母はあんなむごい殺され方をしたのに、なぜなのか、どこの誰にそんな目に遭わされたのか、知ろうともしなかった。これだけたくさんの素晴らしい絵を描いて、誰よりもきれいだった母がなんでそんな暴力的な死を迎えなければならなかったのか、って。僕だけじゃない、今や誰もそのことに興味を持ってない。高槻倫子という画家の存在も、人間の存在も、忘れ去られている。僕にとってはたった一人の母親なのに」

秒の声は激しさを増した。

私の頭の中は、「思い出す」という一語で埋め尽くされていた。

思い出す。

「お願いです、むちゃくちゃな頼みなのは重々承知しています。私と一緒に彼らの話を聞いてくれませんか。彼らに母の話を聞こうと思ってるんです。それで、何か少しでも母のことを思い出してくれれば、いや、思い出してくれなくてもいい、ただの気休めにでもなれば」

秒は必死の形相で私に詰め寄った。

私は困惑しきっていた。次から次へと繰り出されるカウンター・パンチに面喰らうばかりである。

「あのー」

間延びした声で、腕組みした先生が割り込んだ。

「ちょっと質問してもよろしいですかね。思い出す。思い出すとおっしゃいましたね、あなたのお母さんの亡くなった時の状況を。もし、彼女が本当に思い出したら、あなたはいったいどうなさるおつもりで？」

「どうする、というのは」

秒はぽかんとした顔をした。

先生の細い目が、一瞬ますます細くなった。

「しらばっくれないでくださいよ。判らないはずはないでしょう。他殺なんですよ。迷宮入りの事件。死ぬ時の状況を彼女が思い出したら、当然自分を殺した犯人の顔も思い出すはずですよね。そうしたら、どうなります？ あなたは犯人を探すんですか？ もし見つけたら？ 警察に突き出すのか？ この子が被害者の生まれ変わりだから、この子が証人になりますって？ では、放っておくのか？ 思い出したこの子はどうなるんだ？ その日から彼女は、自分をかつて殺した人間の顔に悩まされ続けるんだ、永遠に。たしかにこれはむちゃくちゃな申し出ですよ」

激しい恐怖が背中を突き上げる。

あの、手。

私に向かってハサミを振り上げた手。

あの手の下に顔がついていたとしたら！

思わず顔を覆《おお》いたくなる。そんな顔を見てしまったりしたら、私は一生悪夢にうなされるだろう。あの会場で見た短いヴィジョンですら、あれ以来私の心の底にしっかりと根をおろし、いつ浮かび上がってくるかという怯《おび》えがうっすらと膜を張ったように心を覆っているのだ。

「いやだわ、そんなの。怖い」

怒りと恐れに満ちた声がこぼれていた。

秒は顔を赤らめてうなだれる。

三人は黙り込んだ。なんとも気まずいムードが漂う。

「――白状しますと、母を殺した犯人をつきとめられたら、という気持ちがあったのは否定できません」

しばらくして、秒がポツリと呟いた。

「展覧会を開いて、あなたが倒れた時、母が会わせてくれたのかな、と思った。もしかして犯人をつかまえてほしいと思ってるのかな、とも思った。これで犯人をつかまえられれば、母へのいい供養《くよう》になるな、と。でも、浅はかでしたね。この人のことは、正直言って全然考えてなかった。自分のことばっかり。この人にとっては、一生に関わる問題ですものね」

秒は一回り縮んでしまったかのようだった。

私は複雑な気持ちで目の前の秒を見ていた。恐怖と同情が自分の中で綱引きしているのを感じたが、やはり恐怖が勝っていた。

私にも両親がいない。母を亡くしたのは顔もろくに分からないほど小さい時だし、父は二年前だ。どんな人たちだったのか深く知りたいという気持ちと、今さら掘り起こしてまたあの喪失感を味わいたくないという気持ちとがいつも戦っているのだ。

ふだんは意識していなくとも、時折存在しない人の大きさが胸に迫って来る。

中学や高校に進学した時、卒業した時に、こっそり母の写真のあるアルバムをめくったことを思い出す。一番喜んでくれるはずの人がいないことを思い知らされる季節。私だけかと思っていたが、六歳年上の姉が就職した時、やはりそっと隠れて母のアルバムを開いているのを見てしまった時は、なんとも言えない気分になった。

「――それらの条件を満たしているという点だけから見れば、『古橋《ふるはし》万由子は高槻倫子の生まれ変わりかもしれない』ということは言えるね。しかも、二人には非常に特殊な共通点もあるしな」

先生が言葉を選んで呟《つぶや》いた。

何度も謝りながら帰って行った高槻秒の姿をぼんやりと思い浮かべながら、私はチラッと先生の顔を見た。特殊な共通点。

「明日はどうする?」

先生が尋ねた。

「明日」

私はおうむ返しに答えた。

明日は、高槻倫子遺作展の最終日だった。秒が、何かの縁だし、よかったらもう一度見に来てほしい、と言い残して行ったのである。

先生は行きたそうだった。この奇妙な話を喜んでいるのが見え見えだ。

私は思いきり怖い顔をしてみせる。

「行くなら先生一人で行ってくださいね、私は留守番してます。もう、あんな気味の悪い思いをするのはまっぴらですから」

明らかにがっかりする先生にそっぽを向いて、私は冷めたエスプレッソを一気に飲み干した。

2

その晩、先生と赤坂で別れ、ぐったりして家にたどりついた。

小田急線の豪徳寺《ごうとくじ》駅を降りて、十五分ほど歩いた古い住宅街の一軒家に私と姉は住んでいる。アパートに一人で帰るのも嫌だろうと思うが、真っ暗な一軒家に一人で帰るのも嫌なものである。何より、怖い。どんなに疲れていても、家に入る瞬間、全身の感覚がスッと透き通るのが分かる。素早く鍵《かぎ》を開け、何か変わった気配がないかを確かめてから中に入ってふたたび素早く鍵を締め、ばたばたと家じゅうの電気を点《つ》けて回る。

シャワーを浴び、ようやく全身の緊張が解けてホッとする。何か気分がほぐれそうなものを、とジャスミン茶を選んでポットいっぱいにお湯を注ぎ、のんびり飲んでいると姉が帰って来た。どうやら、今夜もご機嫌斜めのようである。

「――ったく、ふざけるんじゃないよ」

すさまじい勢いでうがいをする音が響き、低くののしる声が聞こえた。

おおこわ。思わず肩をすくめる。

六歳上の姉の万佐子《まさこ》は、某大手デパートに勤めている。

常にバリバリ仕事をしてきたのだが、二年前に営業企画課長に昇進してからよけい顔が険しくなった。せっかくの美人が台なしだ。むしろ、顔だちが整っているせいで、ますます鬼気《きき》迫る雰囲気が漂う。

姉にもジャスミン茶を淹《い》れることにした。ジャスミン茶には鎮静効果があるはずなのだが、うちの姉妹にはあまり効き目がないらしい。

「あら、どうしたの、今ごろそんなもの飲んで。あんたも遅かったのね」

キッチンに入って来た姉が、目敏《めざと》くカップに目をやった。

「お姉ちゃん、夕飯は?」

「食べて来た」

「また店屋《てんや》もの? ニキビ出るよ」

「どうせあたしの歳《とし》じゃ吹き出物よ。うう、足が痛い。最近むくみがひどくって。お願い、万由子」

姉はドカッと椅子《いす》に腰を降ろすと、足をどしんと私の膝《ひざ》に乗せた。

姉が昇進してからの習慣で、私が彼女の足をマッサージするのである。

私が銀行に勤めていたころは、よく姉が私の肩を揉《も》んでくれたものだ。当時、私は吐き気がするほどひどい慢性的な肩凝りに悩まされていた。

「あたしらバアサンだね、まるで」と言いながら、互いにありとあらゆる体操や漢方薬を試したものである。

「うわあ、本当にひどい。パンパンに腫《は》れてるよ。お姉ちゃん、ハイヒール履くのやめれば？　せめて五センチヒールにするとか」

「うーん。今さらカカトの低い靴履いても、おなかに力が入らないのよ。ハイヒール履くと、どうしても前のめりになるじゃない？　あれで気分が攻撃的になって、よし今日も負けるもんかって気になるの」

「それは判《わか》るけど。女の人のスーツって、やっぱりカカトの高い靴履かないとサマにならないようにできてるもんね。でも、ハイヒールって子宮にもよくないんだって。すごいなあ、爪《つめ》がこんなに肉に食い込んじゃって。大丈夫？　紫色になってるけど」

親指にめりこんだ爪をチョンと突つくと、姉はあまりの痛みに飛び上がった。

毎晩、こんなにボロボロになって帰って来るのに、翌朝になると姉はムクッとゾンビのごとく起き上がって、ピカピカに磨いたハイヒールを履き、ばっちりお化粧をして出かけて行くのだ。まったく、女はたいへんである。

「ちょっとお姉ちゃん、まっすぐこっち向いて。ねえ、右目の下に隈《くま》ができてるよ」

「判る？　ずっと右のコンタクトの調子が悪いんだけど、眼医者に行く暇が全然ないのよ。行かなくちゃ、行かなくちゃと思いながら、もう一週間経《た》っちゃったの」

「眼医者くらい行きなよ。度が合わなくなったんじゃないの？　もともとガチャ目だったもんね」

「うん。最近また悪くなったような気がする。きっとあのオタク部長のせいだわ」

姉の顔が突如、般若《はんにゃ》のごとく吊《つ》り上がった。

オタク部長というのは、最近異動になって姉の上司になった男のことで、パソコンおたくなのだ。会社のデスクの上にも、メーカーの出張販売所かと思われるほど、ところ狭しといろいろなラップトップ型パソコンが並んでいるそうだ。べつに一人で遊んでくれている分にはかまわないのだが、ある日、どうでもいいような昔の顧客資料をデータベース化しようと言い出したらしい。おかげで、姉以下のスタッフは、ただでさえ手いっぱいの業務に、恐ろしく手間のかかる割りに将来役に立ちそうもない仕事を抱え込んだわけなのである。

姉の恨みつらみは妹の私でさえ逃げ出したくなるようなすさまじさで、夜中に五寸釘《くぎ》でも打ち込みかねない剣幕である。もっとも、姉のことだから藁《わら》人形にではなく、直接本人の心臓に打ち込むことであろうが。

「何か甘いものないかな」

姉がよろりと立ち上がって、戸棚のほうに手を伸ばした。

「真紀《まき》ちゃんとこのおばさんがくれた小布施《おぶせ》の栗羊羹《くりようかん》があるよ。切ってあげようか」

「ウン」

姉には分厚く、自分に薄く羊羹を切る。

二人で黙々と羊羹を食べた。

「――ところで万由子、何かあったの。昨日から顔色悪いし、様子がおかしいよ」

おもむろに姉が鋭い目で切り出した。

ぎくっとする。

さすが長いこと母親代わりを務めているだけのことはある。ほんのちょっとしか毎日顔を合わさないのに、姉の勘と眼力《がんりき》はたいしたものだ。姉の部下もさぞ怖い思いをしていることだろう。

女どうしは一瞬の視線で互いの体調や近況を読み取る。選ぶ口紅や鏡を見る目付きで、服の脱ぎ方や流しに置かれたカップの位置で。

「何もないよ。ちょっと疲れてるだけで。大丈夫、何かあったらちゃんと報告するから」

私は平静を装《よそお》った。姉にあんな荒唐無稽《こうとうむけい》な話をする気はさらさらなかった。言ったところでよけい心配させるだけだし。

姉はチラッと何か言いたそうな表情をした。

神経質な少女の顔がふっとのぞき、私はふいに懐《なつ》かしくなった。

ああそうだ、昔はいっつもあんな顔してたんだよね、お姉ちゃんは。

私たちは神経質な子供だった。

とくに姉は、目ばかり大きくて痩《や》せた子供で、いつもびくびくしていた。

私が生まれて二年くらいで母が亡《な》くなったうえに、そのころ父の事業もうまくいっていなかったので、二人はいつもぽつんと放っておかれた。子供のころの家の中はとにかく静かだった。小さいころの記憶といえば、狭い部屋に姉と二人で並んで寝ているシーンばかり。

姉は身体《からだ》も弱く、しょっちゅう熱を出して真っ赤な顔で寝込んでいた。私はいつも、彼女の苦しそうな顔やうわごとを、じっと息を殺して見守っていた。

一日は長く、暗い部屋の天井は高く、楽しい記憶はほとんどなかった。小学校くらいまで、私の世界には姉しかいなかったような気がする。かなり陰気な幼年時代だ。

しかし、子供というのは変わるものである。

身体の弱くておどおどした少女だった姉が、浅黒くて声の大きなテニス部の主将となり、私が脳天気な極楽トンボになるのにたいした時間はかからなかったのだ。

「――ねえ、お姉ちゃん、高槻倫子って知ってる？」

「誰それ」

「昨日ね、先生と俊太郎とで見に行った展覧会の画家なの。なんかすごく懐かしい感じがしたのよ」

私は努めてさりげなく言った。

もし、うちとどこかで接点があれば、私の幻覚もいささか無理やりではあるが説明がつき、あのオカルト騒ぎから抜け出せるというものだ。

「知らないなあ、あたし美術3だったしなあ」

姉はまったく反応がない。もう少しカマをかけてみる。

「それでね、会場にその画家の息子が来てたの。泰山先生のファンなんだって。うちの近所に住んでたらしいの。子供のころに会ってたかもしれないよ、高槻秒っていうの。覚えてない？」

「ビョウ？　タカツキビョウ？　変わった名前ね。いなかったよ、そんな子。このへんに高槻って人がいた記憶ないなあ。画家でしょ、女性の？　いたら覚えてるわよ、やっぱり覚えないいな」

姉は即座に否定した。

彼女は記憶力がよくて、人の顔や名前、電話番号もすぐに覚えてしまう人だ。私はがっかりした。

「しかし、ヒマなのね、あんたの勤め先って」

「ひどいなあ、久しぶりにヒマになったんだよ」

「でもよかった、あんたにはやっぱりああいうのんびりした仕事のほうが向いてたね。あんたの顔つきもずいぶん柔らかくなったもん」

姉の顔に安堵《あんど》が現われ、ちょっぴり罪の意識を感じる。

「羊羹食べたら、呼び水になっちゃった。食パンある？　トーストでも食べよ」

姉が立ち上がって冷蔵庫を開けた。最初、ストロベリージャムの罎《びん》に手を伸ばしたが、ちょっとためらってからマーガリンのケースをつかんだ。

その時、フッと別の手が見えた。

フィルムが巻き戻されたみたいに、ジャムの罎をつかむ手が見えたのだ。

女の人の、細く長い指。人差し指にバンソウコウを巻いているのが見え、小指にはめたアクアマリンのリングも見えた。

「――あれ、新しい指輪買ったの、お姉ちゃん？」

「え？」

姉が冷蔵庫を閉めて振り返った。

手にはマーガリンのケースを持って、きょとんとしている。

その手はきれいで傷ひとつなく、中指に見慣れたプラチナリングがはまっている。

「変だな、今ジャムをつかんだ手が見えたの。小指にアクアマリンのリングしてた」

姉は明らかに顔色を変えた。

「――見たの、万由子？」

その声は低く乾いていた。

「うん。人差し指にバンソウコウしてたよ」

姉は放心したようにダラリと立っていたが、やがてドカッと椅子に座り込み、テーブルの上で頭を抱えた。

「――参ったな。犯人はユカリか」

「え？」

私はぽかんとした。

姉はぎろりと複雑な表情で私を見上げた。

「まったく、あんたときたら――ね、あたしに紅茶淹れてくれる？」

「う、うん。どうかしたの？」

私はおろおろして紅茶の缶を取りに立った。

姉は急にがっくりしてしまった。鼻の下で両手の指を組み、ひじをテーブルについてぼんやり前を見つめている。

「——ここ数週間ね、部長のパソコンや部内のワープロのキーにジャムを塗ってる奴《やつ》がいるのよ。べたべたしちゃって取るのがたいへんなの。時間かけて掃除しても、また何日かして朝来ると、指の当たるところにだけご丁寧に、全部のキーにべったりジャムが塗ってあるわけ。まあ、みんな部長と今度のデータ入力を嫌がってたから、誰かが無言の抵抗をしたんだろうと思ってたの。でも、最近エスカレートしてきてね。部長のみならず、部長に対して無力なあたしにも矛先が向いてきたらしいの。朝引き出しを開けると、電卓にべったりジャム。ロッカーの取っ手にもべったり。すっごく気分悪くてね」

「じゃあ、あたしが今見たのは」

また、見てしまったのだ。

姉は疲れたように頷《うなず》くと、吐き出すように言った。

「うん、いるのよ。アクアマリンのピンキーリングしてて、今人差し指にケガしてる女の子が。中堅どころで仕事できて、ずっと信用してた女の子なのに。今朝なんか、あたしになんて言ったと思う？　あたしの引き出しを見てさ。『ひどいわ、課長にはなんの責任もないのに！　いったい誰がこんな陰湿なことを！』ですって。しかも、あたしと一緒に掃除までしてくれて。あれも演技ってこと？　畜生」

姉はドンと握りこぶしでテーブルを叩《たた》きつけた。

テーブルの上のカップがガチャンと音を立て、私は自分が殴られたかのようにビクンとした。

「着替えてくるわ。紅茶よろしく。ブランデーたっぷりね」

姉は乱暴に立ち上がると、キッチンを出て行った。

後味の悪い気分で、一人取り残される。

ふう、と溜息《ためいき》をつき、カップを温めるためにお湯を注ぎながら、私はぼんやりと湯気の向こうを見つめていた。

その湯気の向こうに、いつのまにか高槻倫子の絵が浮かんできた。

特殊な共通点。

彼女も、そうだった。

彼女も私と同じように、『失《う》せものさがし』の名人だったのだ。

私はこの才能について、社会人になるまでたいして深く考えたことがなかった。学生時代までは、せいぜいコンパの宴会芸ぐらいにしか自覚していなかったのである。

ところが、三年間の銀行勤めで、この「才能」が私の運命を変えてしまった。時期が悪かったというのもあるかもしれない。

私が入社した時期は、徹底したコスト削減、人員削減が叫ばれた時代で、一人一人の抱える業務が膨大だったうえに、よりいっそうの機械化を進める過渡期で、ガンガン新しいシステムが導入された。連日、分厚いマニュアルや猫の目のように変わる通達が本社から送られて来たが、それらを読む暇もろくになかった。しかも、機械に任せられるところまで持っていくのはやはり人間の手作業なので、私たちはふだんの業務プラス、システム改編という二重の仕事をこなしていたのである。

残業するというよりも、銀行で暮らしていてその合間に家に帰っていたというほうが正しかったし、休みの日はひたすら寝て翌週を乗り切る体力を少しでも回復させるのが精一杯。男性にいたっては、ほとんどフルに休日出勤していた。それでも、予定されていた新しいシステムのスタートに間に合うめどはまったく立っていなかった。

こうしてみんなに疲労の色が濃くなり、職場の雰囲気がとげとげしくなってくると、私の「才能」が思ってもみない形で表われたのである。

それまでも、探していた書類や客の忘れ物が見つかるという程度では発揮されていたし、むしろ面白がられていたのだ。しかし、当時の私は忙しさでよほど神経が過敏になっていたのだろう。それまでの私にはとうていできるはずのなかったことまで、できるようになってしまったのである。

具体的にどういうことかと言うと、ベテランの女子行員の使い込みと、成績のいい営業マンの詐欺《さぎ》行為を、立て続けに「見つけて」しまったのだ。

別に私が現場を押さえたわけではないし、密告したわけでもないのだが、結果的にはそれと同じことになってしまい、私は上からも周りからも敬遠される人間になってしまった。ただでさえ忙しいのに、相次ぐ不祥事で異動はあるわ、監査は入るわで、恨まれるのも無理はない。

それでも、居心地が悪いという程度だったら、まだ勤め続けていたかもしれない。

しかし、決定的な出来事が起こってしまった。

当時、私を可愛《かわい》がってくれたSさんという上司がいた。

おべっかが使えないので、同期での昇進は遅れているようだった。でも、きちんと責任の取れる人で、部下や女の子たちの信頼は絶大だった。

Sさんはこのシステム改編のせいで、もう二カ月近くもろくに家に帰っていなかった。

極度の疲労のせいで、こめかみや首筋がどす黒くなっていたのを覚えている。私の父も亡くなる直前そうだったからだ。

その日、私はSさんと帰りのエレベーターで一緒になった。

彼は本当は残っていたかったらしいが、あまりにも気分が悪くて仕事にならないので帰ることにしたのだ。

「車を拾えばいいのに」と私は言った。とても寒い日だったし、Sさんの家は遠いのだ。

「上の子が私立高校に入ったばっかりで、とてもタクシーなんか使えないよ」と彼は笑った。Sさんに顔だちのよく似た、自慢の息子なのだ。

「じゃあ、気をつけて」

別れ際《ぎわ》に彼の顔を見た瞬間、私はギョッとした。

Sさんの顔がなかったのである。

目鼻のあるべき部分が灰色にぼんやりとして、まったくののっぺらぼうになっていたのだ。

私は自分が見たものが信じられなかった。

ぼうぜんと見送っている私に手を振って、Sさんは帰って行った。

その帰り道、吹きさらしの寒い駅のホームでSさんは倒れた。

意識を失い、線路の上に落ちたのである。

そこにすべりこんで来た電車は、彼の頭を轢《ひ》いたのだ。


それから間もなく、私は銀行を辞めた。

しばらく眠れなくて、少しでもうとうとすると、必ずのっぺらぼうの夢を見た。

眠れず、食べられず、私はがりがりに痩《や》せた。

姉の心配したことといったらなかった。会社に行っていても、一日に何度も電話がかかってくる。毎日大急ぎで帰って来て、私の好きなものを一生懸命こしらえて食べさせようとする。私だけでなく、姉まで痩せてしまった。彼女は、じっとしているのはかえってよくないと、あちこち走り回って自分の母校の大学職員の仕事を持って来てくれたのだ。

以前とは一八〇度雰囲気の違う職場で、私の社会復帰はうまくいき、姉をホッとさせた。

ゆったりした時間を持てるようになった私は、もうあんなにはっきりと何かを「見て」しまうことはないだろうと思っていた。

しかし、ここに登場したのが浦田泰山なのである。

よく誤解されるのだが、私はまったく何もないところから他人が失くしたものを見つけ出すわけではない。その人が本当は覚えているのを、または知っているのを感じ取るにすぎないのだ。

姉にしても、泰山先生にしても、記憶力が人並みはずれて優れているから、私は彼らの膨大な引き出しを開けることができる。

たとえば、泰山先生が、何かの手紙を探しているとする。

彼は、たしかにその時は忘れているが、本当は覚えている。ただ、彼の記憶のキャビネットはあまりにも巨大で、その記憶の入っている引き出しを見つけるのがたいへんだ。でも、彼の頭の中では、もうすでにあちこちでバタバタ引き出しが開けられている。ずいぶんたくさんの引き出しが開けたままになってるので、引き出しを開けていることにすら気付いていないものもある。

私は、先生が開けたまま気付いていない引き出しを覗《のぞ》くだけなのだ。だから、引き出しを開けていない人や、キャビネットの小さい人には、私は全然反応できないのである。

最初、泰山先生に会った時は驚いた。なにしろ、先生の記憶やイメージは非常に鮮明なので、「見え」方が違うのである。彼が真剣に探しものをしている時など、いろいろなものがフラッシュのごとく背後に行き交う。ついつい純粋な好奇心に引っ張られて見たものを口にしてしまうものだから、この奇妙な才能はたちまち先生にバレてしまった。

先生がこういうものを面白がり、特別扱いしないことで、私も一緒に面白がることができ、ずいぶん救われたものである。

私が横領を見つけてしまった銀行員も、非常に細かいところまで気の回る優秀な女性だった。一つ仕事を頼まれても、先の先まで必要とされる業務を読むことができるのだ。

ある時、数カ月分のスケジュールの打ち合わせをしていた。

おそらく、彼女は自分がやらなければならない業務を素早く順番に思い浮かべていたのだろう。私はふと、彼女がオンライン操作をしているところを何度も彼女の後ろに見たのである。それはどれも同じ操作で、しかもめったに使わないキーを押していた。

それが強く印象に残っていたので、私は無邪気に別の先輩に、自分が見たのと同じ操作を説明し、こういう操作って何の時に使うんでしょうね、と訊《き》いたのである。

その先輩もシステムにくわしいベテランだった。その操作の意味するところがたちまちピンときたらしい。

それから一週間後に彼女は失踪《しっそう》したのである。

あの営業マンだってそうだ。

周囲の雰囲気や、目の前の客の欲《ほっ》するところをたちまち読み取ってしまう。

こちらの席で客と世間話をしていても、離れた席で、客の上司が接待の場所に悩んでいるという愚痴をこぼしているのをちゃんと聞いている。翌日には、彼の客を通して、じつに条件にぴったりの店が紹介される。

優れた営業マンは人の話をよく聞いていて反応が早く、想像力が豊かだ。そして、これこそが「探す」のにピッタリの条件なのだ。

彼の場合、窓口の女の子たちが、登録印と印鑑が同じかどうか照合しているところにたまたま通りかかったのだった。

その印鑑は怪しかった。かぎりなく同じものに見えたが、どうも印象が違うのだ。

窓口に来ている客も怪しい。

彼は通りすがりにその印鑑をチラッと見た。

その時、私は、彼が青いセーターを着た老人から印鑑入れを受け取っている場面を見たのである。なぜ彼が他人の印鑑を受け取るのだろう、あのおじいさんは誰だろう、と疑問に思ったことがきっかけとなった。

高槻倫子はどんな人だったんだろう。

姉のカップにゆっくりとブランデーを注ぐ。

甘く重たい香りが、キッチンの静かな空気に溶けてゆく。

いつのまにか、彼女に興味を抱いていた。

彼女もこんなふうに、見たくもないものを見せられていたのだろうか。

見たくもないもの。

ハサミ。

思わず首を振ってあの場面を頭から追い出す。

しかも、彼女はアーティストだったのだから、その繊細さは私とは比較にならなかったろう。さぞかし作品にも影響が出たのではないか。神経質な人だったのも無理はない。

あの、白雪姫や眠り姫の冷たい画風を思い出して、妙に納得した。

そして、その彼女が高槻秒の母親なのだ。

似ている私がこれだけ興味を持つんだもの、彼はもっともっと彼女がどんな人なのか知りたいんだろうな。私には姉がいるけれど、彼は本当に一人ぼっちなのだから。

3

いつ来ても、渋谷の駅前のストレスというのは相当なものがある。

どの道を見ても、あとからあとから湧《わ》いてくる人々が、放射線状にわーっと渋谷駅目指して突進して来るのを正視するには勇気がいる。

彼らの王国であるかのように振る舞うティーンエイジャーたちは、このストレスを「心地《ここち》好《よ》い刺激」と受け取るのだろうか？

午前中の早い時間の割りには、ずいぶん幼い子たちが多い。高校生以下の夏休みはもう終わっているはずだが、この子たちは大学生なのかしらん？

信号が変わり、嚙《か》みつくように歩きだす人々。一刻も早く目的地に着きたいらしく、目を吊《つ》り上げ、小走りでスクランブル交差点を突っ切ってゆく。若い子たちのお洒落《しゃれ》に対する努力は切なげなほどだ。自分がこの子たちくらいの年齢に何をしていたか思い出すのは難しい。とにかく目の前の少女たちと違っていたことはたしかだ——でも、もしかするとみんな、自分は違ったと思っているだけかもしれない。せいぜい五、六歳しか離れていないのに、そこには連続しているとは思えないほどの隙間《すきま》がある。向こうは連続することを拒絶しているだろうし。

先生に、雑踏を歩くのは怖くないのかと訊かれたことがある。べつに怖くないのだ、すれ違う人々が私に何の意味も持たなければ。とくに、渋谷を歩いていて何かを「見る」ことはめったにない。少年たち、少女たちのキャビネットは驚くほど狭い。

「一晩でどうして気が変わったわけ？　昨日は絶対行かないって言ってたのに」

帽子をかぶった女の子の集団に押されながら、少し前を歩いていた先生が振り返った。

私が高槻倫子の展覧会の最終日への同行を拒んでいたので、先生は一人で行くつもりだったらしいが、今日になって「やっぱりついて行く」と言いだしたので驚いたようだ。

「もう一度冷静に見てみようと思って」

私はそれしか言わなかった。先生は、不思議そうな顔で私を見ていたが、それ以上追及せずに前に向き直った。

夏の終わりの繁華街は、なんとなく薄汚れてくたびれている。原色の看板や、いつものエネルギーにあふれた女の子たちの笑顔がよけい疲れを誘う。

「いつもこんなだけど、今日はまたやけに進まないですねえ。まだ早い時間なのに」

うんざりしてほとんど押しくらまんじゅう状態の歩道を見る。

進まないどころか、やがて人の流れが止まってしまった。

不満を漏らす囁《ささや》きに混じって、前方からさざなみのような異様なざわめきが伝わってくる。

「火事」

「火事よ」

「ほら見て、すごい煙」

「火事だって」

それを合図にしたかのように、遠くからサイレンの音が近付いて来た。

「えっ、どこどこどこ」

「うわホントだ、ものすごい煙が」

それまでは無関係な群衆だった雑踏の中に、一瞬にして興奮が燃え上がった。

よけい後ろから人が押し寄せて来て、たちまち押すな押すなの大騒ぎになる。

あっという間に車道にまで人間があふれ出る。バスは止まる、クラクションは鳴る、
ワゴンの運転手が怒鳴る。その一方で、けたたましいサイレンの音が四方八方から近付いて来る。相当な数の消防車がやって来たようだ。現場に近付けるのかなと心配になった。とにかく、ロックコンサートの最前列のような騒ぎなのだ。このまま圧死してしまうかもしれない、という恐怖に襲われ、今日の夕刊の見出しが頭に浮かんだ時、
先生が叫ぶのが聞こえた。

「万由子、あのビルが燃えてる！」

ハッと目が覚めたような気がした。

思わず背伸びして必死に前を見ようと試みる。

夏の終わりの空に落書きしたみたいなどす黒い煙がたちのぼっていた。

たしかに、これから私たちが行こうとしていた、あのビルのてっぺんの窓からもく

もく煙が噴きだしている。しかも、それはちょうどあの展覧会会場のあるフロアではないか。

「まさか、あの会場じゃあ」

先生と私は目を見合わせた。

サイレンの音はさらに増え、ビルの谷間にこだまして異様な雰囲気を醸《かも》し出した。

今度はパトカーがやって来たのだ。バラバラと大量の警官が駆け出して来て、けたたましく警笛を鳴らし、ロープを張って収拾にあたりだす。

前にいた女の子たちが押し戻され、黄色い悲鳴が上がった。きつい香水の匂《にお》う髪の毛が顔に押しつけられて気持ち悪くなる。人いきれで汗だくになり、何とも言えぬ殺気が漂う。有無を言わせずぎゅうぎゅう力で押し戻され、警官の威圧的な声と、周囲の人間の罵声《ばせい》が入り混じり、頭がぼうっと霞《かす》んできたところを、車道にぽろりと押し出された。

「あれ」

遥《はる》か前方で、警官たちの制止を振り切ってあのビルに駆け込んでゆく人影が目に入った。

あの体型、あの逆立った髪は。

いつの間にあんなところまでたどりついたのか、それはどう見ても泰山先生だった。

会場は水浸しであった。

とても、数日前に見た、あの華やかな展覧会会場と同じ場所とは思えない。

まるで、出来の悪い悪夢を見ているようだ。

炎というのは、何と暴力的な理不尽さで物をねじまげるのだろう。壁や天井は黒焦《こ》げで焼け落ち、扉は熱でべろんと反り返ってしまっている。それらの陰にあった配管や電線が、人間の内臓のように剝《む》き出しになっていて、やけに卑猥《ひわい》だ。会場を飾っていたたくさんの花が、あちこちに灰色のミイラとなって積み重なっているのが、何とも無残な雰囲気を漂わせている。

しかし、それらと同じ運命をたどるはずだった多くの絵は、すべて姿を消していた。

高槻秒と泰山先生とで、火の回る前にいち早く運び出していたのだ。

先生が駆けつけてみると、秒はものすごい勢いで会場入口に絵を積み上げていた。その時すでに炎が天井を舐《な》め始めていたにもかかわらず、秒は最後の一枚を運び出すまでその場所を離れる気はなかったらしい。そこにやって来たのが先生だとも気付かなかったようだ。先生は、秒の積み上げた絵を、非常階段から下にどんどん滑らせて落としたのである。

その二人は、現場の隅っこに身動きもせず座り込んでいた。ススで全身が真っ黒。おまけにあちこち火傷《やけど》だらけだ。

あの運動不足の巨体で一気にビルの階段を駆け登ったのだから、先生の憔悴《しょうすい》ぶりには悲惨なものがあった。心臓を押さえて、日射病でひっくり返った蛙《かえる》のごとく身体《からだ》を投げ出している。秒の様子もひどい。げっそりと蒼《あお》ざめ、呆然《ぼうぜん》自失状態。時折思い出したように手がぶるぶると震えだすが、自分で抑えることもできないようだ。よく見ると、ほっぺたや腕に赤い水ぶくれがたくさんできていて、髪も焦げている。思わず目を背けた。

さっきまで二人はさんざん警察と消防に絞られていたが、今や彼らに目を向ける者はなく、事務的な作業と機械的な捜査のほうに焦点が移っていた。

先生がゆっくりと辺りを見回し、ゆらりと立ち上がると、はじのほうで小さくなっていた私のところにのろのろとやって来た。

「大丈夫ですか？　無茶ですよ、七階も一気に駆け登るなんて。よくあの人ごみの中を、ここまでたどりつけましたねえ」

小声で叫ぶ。

先生の顔は真っ黒で、茄子《なす》みたいに光っていた。本当にススというのはすさまじいものだ。先生は何も言わない。よほど力を使い果たしたとみえ、コマ落としみたいにゆっくりとした動作で、ふうっ、と溜息《ためいき》をついた。どこかから煙草《たばこ》を引っ張り出したが、水でぐしょぐしょになっていた。がっかりする気力もないらしく、力なく握り潰《つぶ》す。

「絵が無事で何よりだ」

「絵より命が大事ですよ。下手したら二人とも黒焦げになってたかもしれないんですから。もともと焼却処分のはずだったんでしょ、燃やしてしまえばよかったのかもしれませんよ」

「いやいや、せっかく万由子が乗り気になってくれて話が面白くなってきたところなのに、肝心の絵がなくなったんじゃこの先の展開が望めないからな」

けっこう本気で言っているところが先生らしい。

「まだそんなこと言ってるんですか」

私は苦笑した。笑った瞬間、自分の顔が緊張でこわばっていたことに気付き、急にどっと肩の力が抜けた。

「――放火らしいな」

先生がボソリと呟いた。

「放火？」

耳を疑った。

「火の気《け》のないオフィスビルだし、タイマー付きの簡単な発火装置が見つかったらしい。どうやら、昨日のうちに、ビルの閉まる直前にセットしたようだ。見回りの来ない、死角になる場所に燃えやすいものをまとめておいて、その上に発火装置を置いといたんだろう。発見が早かったのでタイマーが見つかってしまったけど、もっと激しく燃えていたら発火装置があったことも判らなかっただろうと言ってたよ」

絞られた割りにはよく話を聞き出している。

「開場時間の三十分ほど前にセットしてあったらしい。秒がたまたまいつもより早く来て、絵を運び出せなくなる前に気が付いたんだ」

「ずいぶん微妙な時間のタイミングですね」

「たぶん、このフロアだけを燃やしたかったんだろうな。ビルをまるごと燃やしたいんなら、もっと手薄な時間を狙《ねら》うだろうよ。人の出入りが激しくなる直前に時間をセットしたのは、早く見つけてもらいたいからだ」

「どうして？」

怪訝《けげん》そうな声で尋ねると、先生は目を細めた。

「この会場だけを燃やしたかったたってことだね。もっとはっきり言えば、絵だけをね」

鳥肌が立った。

無意識に辺りを見回していた。

今朝見た夢を、誰かに知られてしまったような気分だった。

おそらく、この時まで、まだ私はたかをくっていたのだろう。いざとなれば、あたし熱出して夢でも見てたのよね、ですませられると思っていたのだ。しかし、この時点で、私の個人的な幻覚だったはずの話は、知らないうちに現実を侵蝕してきていたのだった。それも、私が考えていたよりもずっと速いスピードで。

私と先生は、何となく同時に、向こうにいる高槻秒を盗み見た。

「——ほら、見ろ。言わんこっちゃない。どうやらこの絵はパンドラの匣《はこ》らしいぞ。秒の父親が長いこと封印してきて、こっそり処分してしまおうと思ってたのも、まんざら間違いじゃなかったようだな。いったい何を封印してきたんだろう？」

先生はボソボソと呟《つぶや》いた。

「絵を人に見られて困るというのは、どういう場合でしょうね？」

つられて小声になる。

「――二十五年前に、高槻倫子を殺した奴《やつ》は、通り魔じゃなかったのかもしれないな」

「まさか」

「可能性がないとは言えまい？　ほかにもいろいろな可能性はあるだろうが、これもとりあえず一つの可能性にはなるわな。もしかすると、今まで誰も気がつかなかっただけで、この絵のどこかに犯人を示すヒントがあるのかもしれない。犯人は高槻倫子の知り合いだったのかもしれない」

「先生、話を面白くしようとしてません？　二十五年前ですよ。もう時効でしょ？　強引な説だと思いますけど。それより、単に昔からのファンが独占したいとか言って火を点《つ》けたってほうが納得できるけどな。この画風から言っても、いかにもマニアックなファンが多そうじゃないですか」

「うん、たしかにね。単にここのビルの持ち主に恨みがあったのかもしれないし、ただの愉快犯かもしれない。でも、二十五年前に殺された人間の絵が、公開されたとたんに火を点けられるっていうのが気に入らないねえ」

先生は無表情に言葉を切ると、ゆっくり杪に近付いて行く。

私は先生の後ろに隠れるように恐る恐るついて行った。

床に座り込んでうなだれる杪。小さな子供のように無防備だった。

「ひどい水ぶくれだわ。先生、一緒に病院に行って来たほうが」

その時、うつむいていた杪がいきなり顔を上げ、怯《おび》えた瞳《ひとみ》と視線が合った。

ばしん

(車のドアが閉まる)

ぶるるるる

(車のエンジンがかかり慌《あわ》ただしく遠ざかって行く)


はっとした。

きょろきょろ辺りを見回し、ススで曇った大きな窓に目をやる。意識を集中すると、はるか下のほうで車のクラクションが聞こえるが、どんなに耳を澄ませても、かすかにしか音は聞こえて来ない。

——今の音は？

またしても胃のあたりが冷たくなった。

「怖かった――怖かった」

秒の瞳は、まだ私を見ていた。それは子供の瞳だった。

「こんな大きな会場で、きちんとした照明で母の絵を見られる機会なんてこれからそうないだろうなって思って――昨夜《ゆうべ》はよく眠れなくて――朝早く来て、一人で最後にもう一度ゆっくり見ようって考えたんです」

秒の視線はゆっくりと先生に向けられた。大人に指示を仰ぐ幼児の目。

先生は頷《うなず》いてみせた。秒は安心したのか、虚《うつ》ろな笑いを見せる。

顎《あご》と肩が小刻みに震え始めた。唇が不自然にひきつる。

「扉を開けて――目の前に炎が広がってた――ごおっというすごい音がして、風が吹き込んで来て――ずいぶん久しぶりにあの日のことを思い出した――海が真っ赤だった――波が寄せるたびにどんどん赤い色が広がっていくんです――僕は波に近付いて行った――足が波の中に入って冷たくて、冷たくて気持ち悪いなって足元を見下ろした――波が引いた時には白の靴下がピンク色になってた――僕は全身ずぶ濡《ぬ》れだった。足に固いものが当たる――重たいものが砂にめり込んでる――僕は両手で拾いあげる――ハサミ――ハサミが。どす黒くなって重たいハサミが」

目が大きく見開かれた。秒は頭を押さえて獣のような呻《うめ》き声を上げた。

私は思わず耳をふさいだ。先生が秒の肩をつかんで平手打ちを喰らわせる。

周囲の人々が手を止めて、いっせいにこちらを振り返った。

ぶたれたショックであぜんとしていた秒の顔が、ぐしゃっと崩れた。

わなわなと大きな身体を震わせる。

見る間に、ぽろぽろと涙が頬を伝い始めた。

先生が腕を広げると、秒はよろけるようにしがみついて、胸の奥が締めつけられるような声で泣きだした。私は見ていられなくなった。


（白い車が走って行く）


海辺を走って行く白い車が見えた。

どんどん遠ざかって行く。乗っているのは一人らしい。

男？　女？

だめだ、ぼやけて判《わか》らない。

小さなナンバープレートがかすかに見えるが、字は読み取れない。

せめて、せめてどこの地名か判れば——ああ、もう見えなくなっちゃった。

気が付くと、水浸しの会場にいた。

しかし、驚いたことに私は冷静だった。不思議なほど静かな気持ちで、今自分が見たものを思い浮かべようとしていた。

先生が秒を抱えて、捜査員や消防隊員を押し退《の》けて階段を降りてゆくのが見えた。私は無言でその後ろに続いた。ビルの管理者、損害保険会社の社員、ほかのフロアの人間や新聞記者たち。いつしか周りは雑多な人々で騒然としていた。

その中を、先生と秒は親子のように寄り添ってゆっくり歩いて行く。

ふと顔を上げると、階段の踊り場の上の窓に、ぱっかりと切り取られた夏の終わりの空が見えた。

その空を見た時、もう逃げられない、と思った。

夢が私の現実を侵蝕《しんしょく》して来てしまった今、私にはどこにも逃げる場所がないのだ。

【第三章】

すべての道が、海につながっているように見える

1

その画廊は、青山のはずれの古いビルにあった。

黄土色の壁はひびだらけで、窓の桟は赤茶色に錆《さ》びついている。建物の壁の下半分を、ツルツル光った濃い色の蔦《つた》が覆《おお》い、それがビルに貫禄《かんろく》を与えていた。通りから半地下になったところに画廊があり、階段の手すりにも蔦がからみついている。

辺りには古い建物が多く、ひっそりと静まりかえっていた。もう少し歩いたところには、テンポの速い東京の喧騒《けんそう》が満ちているのに、ちょっと奥に入っただけで、こんなに静かでビルの落とす影もなんとなくもの悲しい。

私たちは、紙で梱包《こんぽう》した絵を抱えた秒を先頭に、花束とイチゴの包みを持った私、手ぶらの先生と続いて石の階段を恐る恐る降りて行った。イチゴの甘い香りが、地下のかびくさい空気に混じってよけい新鮮に意識される。秒も先生も、まだ腕や顔になまなましい火傷《やけど》のあとが残っていた。これから会う人はびっくりするに違いない。

高槻倫子の遺書のリストの最初の人物。

それが、このミオ画廊の主である伊東澪子《いとうみおこ》であった。初めて高槻倫子の絵を世に紹介した人物らしい。かなり高齢のはずだ。

ガラスのドアを押すと、ガランガランと大仰なベルの音がして、思わず飛び上がった。

店の中はかなり薄暗い。何も表示は出ていなかったが、営業しているのだろうか？

変なお香のような匂《にお》いが店中に充満していた。あちこちに吊《つ》るしてあるドライフラワーの、エアコンの風にカサカサいう音が、なんとなく気味が悪い。店の中を見回すと、年季の入ったアンティークの家具がぎっしりと置かれており、威圧感を与える。

「ごめん——ください」

秒のおどおどした声が店内に響いた。

ミャアーオ。かぼそい猫の鳴き声がした。

「どなた？」

店の奥のほうから、神経質そうな声がした。

「先日お電話を差し上げた高槻秒と申します」

闇《やみ》の中で小さく驚く声がした。

パッと店内が明るくなった。それでも、ようやく店の中が見渡せる程度だったが。

サッと黒い猫が奥のほうへ駆け抜けて行った。

誰もいないのかと思ったが、奥のほうで小柄な影が身体《からだ》を起こした。

最初、大きな人形が座っているのかと思った。

大きな一人掛けの、濃いグリーンのベルベットに覆われたソファに、年齢不詳の小柄な女が座っていた。

「ごめんなさい、瞑想《めいそう》中だったものだから。まあ、もうこんな時間なのね。いつも時間を忘れてしまうのよ、深く降りてしまうのね、自分の中に。でも、よりよく食べ物を味わい、より深く芸術を味わうためには、常に五感を鋭くしておく必要があるのよ。そのためには、精神的な感受性のレベルを上げておかなくてはね。そうは思わない？」

その声は、アルミホイルをキシキシ潰《つぶ》しているような、耳障《みみざわ》りな声だった。

顔は真っ白に塗られ、マスカラが睫毛《まつげ》に固まっていた。唇は茶色を帯びた赤だった。

紫のスパンコールに覆われた丸い小さな帽子をかぶり、その下から脱色しているらしい縮れた白髪が覗《のぞ》いていた。薄紫のレースが幾重にも重なったワンピースを着ている。長袖《ながそで》なのに、暑くないのだろうか。

不自然な長い沈黙がその場を支配した。

私たちは失礼だということも忘れて、まじまじとその女を見つめていた。ディズニーランドのシンデレラ城にでも入り込んでしまったような気分。

「あの、その」

秒は、あまりにも異様なものを目にしたためか激しくうろたえていた。たしかに、会社の研究所ではこんなものにお目にかかることはあるまい。

「まあ、秒？　あなたがあのちっちゃかった秒なの？」

その小柄な人形のような女が、目をらんらんと輝かせ、突如椅子《いす》から立ち上がって駆け寄って来たのだから、秒の驚きようといったらなかった。

彼は、思わず跳び退《の》いてしまったのである。

跳び退いたところにあった猫足のテーブルにつまずき、その上に置いてあったオーデコロンの壜《びん》を倒してしまった。最初から充満していたお香のような匂いの上に、今度はきつい柑橘《かんきつ》系の匂いが広がって、頭がクラクラした。

取り乱している秒を、先生がまっすぐ立たせて背中をはたくと、われに返った秒はあらためて挨拶《あいさつ》をした。私と先生は、今回の展覧会に協力し、高槻倫子についての研究をしているスタッフである、と紹介された。

「おかげさまで、今回の展覧会は大盛況でした。これを機会に、伊東さんが知っている母の話を聞かせてもらおうと思いまして。母が亡《な》くなった時、私はまだ小さかったですし、母のことはほとんど知らないんですよ。あ、遅くなりましたが、これはご挨拶代わりに」

ようやく落ち着いてきた杪は、私が持って来た花束と果物の包みを渡した。

「まあ、私に？　嬉《うれ》しいわ。きれいな花だこと。こちら何かしら？　お菓子？」

澪子は芝居がかった動作で花束に頬をすり寄せた。

今時、こんなタイプの人間が残っていたとは。思わずしげしげと見つめてしまう。美術品を扱っていると、こんなふうになってしまうのかしら？　こんなに厚くファンデーションを塗るには、相当時間がかかるはずだ。一人で鏡に向かい、黙々と顔を塗る彼女の姿が目に浮かび、なんとなく気が滅入《めい》った。独身かしら？

澪子は座れ、と慇懃《いんぎん》に手を振った。私たちは四人で隣りにあった大きなソファに腰掛けた。

「そう——懐《なつ》かしいわ、当時が。どこから話せばいいかしらね？　今でもはっきり覚えてるわ、初めて倫子さんが私を訪ねて来た日のこと。

痩《や》せっぽちで、大きな目をしてね。黄色いワンピースを着ていたわ。彼女、黄色が好きだったのね。少女のような、可憐《かれん》で繊細な人。結婚してるなんて信じられなかった。

私は自分の直感だけを信じるのよ。私が気に入った作品だけを置くの。先入観は持たないようにしてるわ。彼女が入って来て、いくつか作品を見せた時はピンときたのよ、この子には何かがあるって。あの童話のシリーズを見てぞくぞくしたわ。もう、次の週には彼女の絵を並べることに決めたの」

澪子が、怪しげな匂いのするお茶を淹《い》れ始めた。ハーブ茶にしては、やけに恐ろしい匂いがする。はたして、味も恐ろしかったが、私たちは無理やり一口飲んだ。秒の顔が歪《ゆが》む。

先生は、今日はみごとに黒子《くろこ》に徹している。この恐ろしいお茶を飲んでも無表情だ。

「彼女には、才能もあったけどツキもあったわ。何でもそうだけど、運というのは大切なのよ」

澪子はそこでチラリと舌舐《したな》めずりをした。一瞬、彼女の顔が蛇に見えた。

どうも、好きになれそうにない。

初めてこの人に会った時の倫子はどう思ったのだろう？　二十歳《はたち》そこそこの彼女がこの女を目の前にして、自分の未来を託そうと思ったのはなぜだろう？　そのころの彼女には、この老獪《ろうかい》さが頼もしく見えたのだろうか？　それとも、昔はもっと違った人だったのか？

私は冷ややかな目で濡子の表情を観察した。

「私も画廊を始めたばかりだったし、お互いに幸運なスタートだったわ。私、年の離れた妹のような気がしていたのよ。いいコンビだったわね」

そうかしら、とついつい彼女の気取った口振りを聞いていると反論したくなる。

「あの子、面白い子だったわ。ぼうっとしてるかと思うと饒舌《じょうぜつ》になったりして。よく、クロッキーブックにさらさらスケッチしては、ちぎって紙飛行機を作ってたのよ。何してるのって訊《き》くと、頭の中にあるものを追い出してるの、って答えるの。すごい勢いで何枚も描いて、くしゃくしゃって飛行機を折って、部屋の中や窓から飛ばすの。天才肌っていうのかしら、そういう時は近寄り難くてねえ。いったい何をスケッチしてるんだろう、ってこっそり飛行機を拾って開いてみても、抽象的な絵ばっかり。渦巻きとか矢印とか」

その風景が頭に浮かんだ。

すごい勢いで走り書きをし、せっかちに紙を破いては、何かに追い立てられるように紙飛行機を折る女。その目は真剣だ。部屋の中に無数の紙飛行機が舞う。追い出しても追い出しても、次々と頭の中に飛び込んで来てしまうヴィジョン。

その苦しみは、想像して余りあるものがあった。

「そう、彼女はツイてたのよ。私も頑張っていろいろな人を呼んだんだけどね、まさか矢作英之進《やはぎえいのしん》が来るとは思わなかったわ」

澪子は、その名前に効果を狙《ねら》っていたものらしかった。

得意そうに、私たちを見回しながら間を置いた。

私はその名前を知らなかったので、目をパチクリさせた。

「矢作英之進——」

先生がぼそっとその名を繰り返した。

「まあ、知らないの、まさか！　あの矢作グループの矢作英之進よ、鉄道にホテル、百貨店や電機メーカーまで傘下《さんか》に持っている。彼は当代一流のコレクターなのよ！　大実業家にして、成金《なりきん》趣味でない、本物のコレクターだわ。彼の美術品に対する造詣《ぞうけい》はたいしたものよ、日本のものにもくわしいし、いろんな時代やジャンルにも精通しているし。彼の目に留《と》まれば、それだけでそのアーティストは値段が一桁《ひとけた》増えると言われているのよ」

どうもこの女は振り子の幅が大きい。つい一分前まで取り澄まして落ち着き払っていたかと思うと、いきなり雲の上まで舞い上がる。こういうタイプは苦手だ。

「その彼が、一目《ひとめ》で倫子の絵を気に入ったのよ。二日続けて来て、あのポスターを倫子に作らせたの。国際博の真っ赤なポスター――強烈だったわ、一躍有名になって。あの日の倫子を見せたかったわ、秒に。国際博のオープニングセレモニーで、みんなが驚いたものよ、あんなに若くて、華奢《きゃしゃ》できれいな子があんな強烈なポスターを作ったのかって。そりゃあきれいだったわよ――ストンとした黒のシンプルなワンピースを着て、黒の手袋をして」

彼女の栄光。そのステージも目に見えるようだった。

私が、そんな才能のある女性の生まれ変わりだなんて。

一瞬、気後れを感じた。

今、私は二十四歳である。

自分を客観的に評価してみれば、どこにでもいる平凡な女の子の一語に尽きるだろう。あの変な「才能」にしても、それが私という人格を個性的にしているとは思えなかった。とくにバリバリ仕事がしたいわけでもないし、かといって人生に何かほかの目的があるわけでもない。そのことに焦《あせ》りを覚えるでもない。顔だちも十人並みで、目に付く取り柄もない。しかも、ほかの女の子たちのように結婚に憧《あこが》れているわけでもない。時々おいしいものを食べにゆき、時々展覧会や映画を見て感動し、ベストセラーになった本も読んでみる。平凡と言えば平凡だけど、そこから抜け出したいとも思わない。

どうも、最近の女の子は二極化しているような気がする。やたら自分を他人と差別化し、「何か」を求める女の子と、ひたすら絵に描いたような「女の人生」を歩む子と。

私は学生時代から、両方の女の子たちの境界線上にいた。どちらのタイプの友人もいたけれど、彼女たちの主張にはそれぞれ納得するものの、心の底から共感することはできなかった。銀行に勤めていた時も、辞めていく女の子たちは、社内結婚か留学かのどちらかにはっきり分かれていた。

万由子って、どうしてそう、欲がないの？　何かしたいと思わないの？

もう二十四よ、結婚したくないの？　誰かつきあってる人いないの？

どちらのタイプの女の子に会っても、いつもそう詰問《きつもん》されるのである。

最近ようやく気がついたのだが、私には「幸せになりたい」という願望が今いち欠けているらしい。留学に結婚、この二つは同じだ。どちらも社会にしろ男性にしろ、誰かに自分の価値を評価してもらい、そのことによって幸せになりたい、という意味では同じベクトルの欲望なのだ。

むろん、私だって幸せなほうがいいに決まっている。しかし、自分なりにバランスを取って毎日生活していくだけでもけっこうスリリングだし、それすらもなかなか難しい。自分の舵《かじ》取りだけで精一杯なのに、ここにほかのものが加わると、自分がパンクしてしまいそうな気がする。一人で普通に生きていくことができないうちは、ほかのことまで手が回らないように思えるのだ。私にとっては自然な考え方だと思うのだが、ほかの女の子にはそうではないらしい。

高槻倫子。人並みはずれて美しく、才能があった女性。

そういう人って、どんな気持ちで生活しているものなのだろう？

「彼女はシンデレラだったわ、ほんとに。でも、あんな人も羨《うらや》むような幸運をつかんで一気に階段を駆け登ったのに、彼女にとってはあまりいいことじゃなかったみたいね。もともと神経質な子だったのに、ますますつきあいづらくなったわ。クロッキーブックも増える一方。有名になったことで、人づきあいが広がるのがつらかったらしいの。社交的な子じゃなかったからね。紙飛行機を折る間も惜しんで、閉じこもってスケッチしてた。彼女の日記はスケッチブックとクロッキーブックだったのよ。すごい数になったと思うけど、本人は片っ端から捨ててたわ。もったいないわよね」

そりゃそうだろう。交友範囲が広がれば、さらに「見える」ものはかぎりなく増える。

パーティー会場に行っても、打ち合わせをしても、彼女の頭の中には絶え間なくさまざまな風景が飛び込んで来ていたに違いないのだ。となれば、彼女には飛び込んで来たものを次々と吐き出していくしか自分のバランスを保つ方法がない。

「最後に会ったころは、見た目にもピリピリして怖いくらいだったわよ。自分のスタイルにも悩んでたみたい。あたしの描きたい絵はこういうのじゃないの、って何度も言ってた」

濘子の口ぶりにうっすらと軽蔑《けいべつ》がこもっている。口で言うほど倫子の絵を評価してるわけじゃないのかな、と思った。

「あのう、最後に母に会われたのはいつですか？」

秒が恐る恐る尋ねた。

「最後は——」濘子は一瞬口ごもった。

「最後は、彼女があの避暑地に行く直前にあった、何かのパーティー会場だったと思うわ。ゆっくり海の絵を描くつもりだって言ってたのを覚えてるから」

澪子の表情が硬くなった。

「何か変わった様子はありませんでしたか」

「変わった――ねえ。とくに思い出せないわ、昔のことだし。とにかく、とてもイラしていたことはたしかよ。私も心配してたのよ、あの子はポキッと折れそうなところがあったから。それがまさか、あんなふうに、刺されるなんてねえ。すごい状況だったみたいじゃない？　あなたは覚えてる、当時のこと？　どうして犯人はあんなひどいことができたのかしらねえ？」

澪子はずけずけと言いながら秒に顔を寄せた。その無神経さにムッとする。

秒はかすかに蒼《あお》ざめると、素早く目をそらした。

「えーと。じつは、今日、母の絵を一枚お持ちしてるんです。今回、母の遺品を整理していたら、この絵をあなたに贈るようにという遺書が見つかりまして」

「遺書？」

一瞬、澪子は凍りついたような表情になった。

「そんなものが？　いったいなんて書いてあったの？　なんで今ごろになって出て来

たわけ？」

噛《か》みつくように秒に迫る。秒は逃げ腰になった。

「いえ、その。キャンバスの中にメモが挟んであったのに誰も気が付かなかったんです。自分の絵を贈るように、と書いた簡単な覚書《おぼえがき》程度のもので」

「あら、そうなの」

澪子はふたたびソファにもたれかかった。が、目はギラギラとせわしなく動き、何かを考え込んでいる。

「二十五年も経《た》って、母の遺志を実現できたわけで、お恥ずかしいかぎりです。今まで家族も知らなかったんですから。では、この絵を受け取ってくださいますか」

秒はやっと目的を果たせる、という安堵《あんど》の表情で、梱包《こんぽう》した絵を取り出すと澪子に手渡した。

澪子の顔に、ふっと和やかなものが浮かんだ。

「——そう、倫子があたしに。二十五年——もうそんなに経つのねえ、あれから。今になって受け取れるなんて。うれしいわ、大事にする。名指しで絵を残してくれるなんてねえ。この画廊の一番いいところに飾るわ。倫子の油絵なんて、珍しいのよ」

澪子は慣れた手つきで梱包をガサガサとほどき始めた。細い手首に静脈が浮かび、意外にたくましいのがアンバランスで奇妙な感じだ。

たちまち絵が現われる。キャンバスの裏に書かれたタイトルが見えた。

「犬を連れた女」。

明るい海岸の波打ち際を、つばの広い帽子をかぶった女が犬を連れて歩いている。

砂に落ちる影。風に飛ばされそうな帽子を片手で押さえる、白い服の女。

その時、ふわっと黄色い色彩が頭の中をかすめた。

(光の束のような淡い黄色の塊がぐうっとせり上がってくる)

なんだろう？

その黄色い塊がふわりとほどけた。

バラ。

バラの花だわ。

黄色いバラの花がいっぱい。

水に浮かんでるのかしら？　ゆらゆら波間に漂ってるみたい。

きれい――こんなにいっぱいバラの花が――

瞬《まばた》きとともにその色彩は消えた。

部屋の中は静まりかえっていた。

歓声が上がるはずの場面だった。しかし、いつまでも歓声の上がる気配はない。

濡子は能面のような表情でその絵を見つめている。

どうしたんだろう？　言葉もないほど感動してるのかしら？

濡子の肩がぶるぶると震えだした。無表情だった顔が、見る見るうちにすさまじい形相になる。

私たちはあっけにとられた。

濡子の顔が、あの分厚いファンデーションを通してでも朱に染まったのが判《わか》った。

それは、激しい憤怒《ふんぬ》の表情だったのである。

「――これを？　この絵をあたしにですって？」

ぞっとするような声が漏れた。

秒はおろおろした。私と先生は顔を見合わせる。何がなんだかわけが判らない。

「まったく――なんて奴《やつ》なの、あの女」

耳を疑った。今までの気取った調子とはがらりと変わったからだ。

「持って帰って」

秒はぽかんと口を開けて澪子の顔を見た。言われた言葉の意味が判らなかったらしい。

「聞こえなかったの？　とっとと持って帰ってちょうだいと言ったのよ、このいまいましい絵をさっさと！　もういない人だから、殺された人だからと情けをかけたのが間違いだったわ。最後の最後まで馬鹿《ばか》にしやがって。この絵をあたしにですって？」

澪子はぶるぶると震えながら立ち上がった。

秒はうろたえて、突き返された絵を所在なげに抱えている。何が起こったのか、私たちは全然把握していなかった。

その秒に向かって、澪子は金切り声を浴びせた。あまりの怒りに、いまや蒼白《そうはく》になっている。

「帰って！　あんたの母親の話を聞きたいと言ったわね、あんたの母親の。聞かせてあげるわよ、あいつは信じられないくらい嫌な女だったわ、殺されたって文句は言えないぐらいにね！」

夕暮れが迫っていた。

表通りにある、オープン・テラスになった店の隅の席に腰を降ろして、私たちは困惑しきっていた。

秒は剝《む》き出しの絵を脇《わき》に立て掛けて、うなだれている。

「元気出してよ、あんな気味の悪い女に大事な絵をくれてやることないわよ」

私は秒の肩を、少々乱暴に叩いた。

秒は弱々しく笑った。

「いいんですよ。今さら母の思い出を美化しようなんて気はないし、ありのままの母を知りたいと思ってたし――でも、正直言ってちょっとショックでしたけどね。

僕が覚えてるかぎりでも、母は友人のいない人でした。気分の変化が激しい人で、機嫌の悪い時は父も僕も近寄らないほどでしたから。ちょっと普通の女の人とは違うんだなと子供心にも思ってました。同性から見ると嫌な女性だったらしくて、友達の母親がこそこそ悪口を言ってたのを覚えてます。僕の婚約者もね、僕が母の話をするのをすごく嫌がるんですよ。写真を見るだけでムカッとする、って言うの。会ったこともないくせにね。

大人になってから客観的に母を思い出すと、たしかに、いかにも女性的な人だったですね。いつもきれいな服を着て、きちんと化粧をして。僕が外で遊んでて泥だらけになって帰って来て、母に触れようとすると『汚れる』と言って絶対触らせなかった。

近所の主婦たちを馬鹿にしてるようなところもあった。今でもすごく印象に残ってる言葉があります。仕事から帰って来る時に、近所の人につきあいが悪いと嫌味を言われたらしくて、怒っていた。『あの人たちって、ただで御飯を食べてるのに、なんであんなに偉そうなの。しかも、全然キレイじゃないし。女として恥ずかしくないのかしら。秒は、きれいで才能のある女の子と結婚してね。自分を養っていける女の子はたいていきれいなものよ。一人で生きていく女の子には重要な武器だからね。養ってもらうのだけが目的の女の子とは、間違っても結婚しちゃだめよ』って。今にして思えば、かなり急進的な台詞《せりふ》でしょ」

「そりゃあ、嫌われるに決まってるわよ」

私はあきれながらも意外に思った。つまり、倫子は当時にしては「自立した女」だったということか。華奢できれいで神経質な女性、というイメージから、なんとなく、男性にべったり依存し、庇護《ひご》を求めるタイプの女性を想像していたのである。しかし、秒が語った今の倫子の台詞には、共感できるものがあったので驚いた。

そう言えば、まだ高槻倫子の写真を見たことがなかったことに気が付いた。

「秒くんは、伊東澪子に会ったことがあるのを覚えてる？」

ビールを飲んでいた先生が、のんびりと尋ねた。

今日の先生が終始無言のままだったのが気にかかる。

「いいえ、全然覚えてないんですけど。僕、子供のころはほんとにぼうっとした奴でしたから」

秒は頭を掻《か》いた。

「ふうん。いったい何で、この絵を見てあんなに怒ったんだろうね」

先生はしげしげと絵に見入った。

どう見ても、なんの変哲もない絵だ。

タイトルどおり、海辺の風景に犬を連れた女。何かの書き込みがあるでなし。人物にしたって、真ん中あたりに小さく描かれているだけで、顔だって描き込まれていないのだ。誰か特定の人物だとは思えない。

「うーん」

三人で唸《うな》る。

「――ところで。万由子さん、伊東澪子に会って何か思い出しましたか?」

思い出したように秒が私を振り返った。

「別に。あんな個性的な人なのに、まったく見覚えなかったわ。ただね、何か黄色いものが揺れるのを見たの」

「黄色いもの？」

「ええ。そうだわ、黄色い花。黄色いバラの花がたくさん、ふわーっと揺れるのが見えたの。水に浮かんでるみたいだったわ」

「黄色――」

秒は遠い目をした。

「お母さんが黄色が好きだって言ってたから、その連想かしらね」

「黄色いバラ」

突然、秒がポツンと呟いた。

「母は、避暑地に着いてから、毎日黄色いバラを取り寄せて活《い》けていた。花びらをお風呂《ふろ》に入れて、毎日入っていた――うん、そうだ。今初めて思い出したよ」

秒の顔に興奮があふれた。

「そう、朝は起きてすぐに、紅茶を飲んでから、バラの花のクロッキーを始めるんだ。それが、本格的に作品にとりかかる前の母の朝の儀式だった。僕はその脇で積み木をしている。積み木の上によくバラの花びらが落ちて来て――毎日、落ちてたバラの花びらを拾って、オーバーオールの胸のポケットに貯《た》めてたんだ。そうだ、とってもいい匂《にお》いがした。母の機嫌が悪い時は、花屋が持って来た花束をそのまま海辺に持って行って、花をむしって波の上に投げていた。乱暴に扱うんで、母の白い手が棘《とげ》で血だらけになって、波の上に黄色いバラがゆらゆら漂って――」

「ほかには?」

先生が鋭い目で私を見た。

あらためて記憶をたどってみる。

「ううん、何も。黄色いバラだけ」

じゃあ、あれも――前世の記憶?

私はいちいち驚かなくなっていた。そういえば、この間も何か見たっけ。焼けた展覧会会場から帰る時に、何かを。

「すごいですよ、今まで僕も思い出さなかったんだから。そうか、やっぱり人に会うっていうのはかなりの刺激ですね。ほかの人に会えばもっと思い出すかも」

秒は、さっきまでの落ち込みはどこへやら、急に元気になったようだった。

「この絵、どうするの?」

私は話題を変えたくて、床に置いてある絵を見下ろした。

一度は決心して秒について来たものの、この先、いろいろな人に会って何かを思い出すというのは、やはり怖いことでもあった。

「ちょっと、一晩借りてもいいですか？　ゆっくり見てみたいな」

先生がぼそぼそと言った。

「いいですよ、どうせ伊東さんにあげるはずだったものだし」

「それと――展覧会の絵以外にも、残っていたスケッチがあったと言いましたね。伊東澪子も、お母さんはスケッチを日記代わりにしていたと言ってたし。そういうものも残ってたんですか？」

「ええ、クロッキーブックが何冊か。ほとんど同じスケッチや、意味のない図形の羅列ですけど。今度、持って来ます」

秒は即座に承知した。

「下品なことを聞いてもいい？　お母さんの作品って、金銭的な価値はどの程度なんですか？」

「たいしたことないです。母が売れたのも、ほんの一時期だけだし、どちらかと言えばグラフィック・デザイナーとして評価されたんで、油絵なんて全然。童話シリーズでは名が売れたけど、今回の風景画なんて、二束三文《にそくさんもん》にしかならないんじゃないかって専門家にも言われました」

「じゃあ、遺産としての価値は」

「好きな人ならともかく、今市場に出してもおそらく売れないでしょう。今回の展覧会が意外と評判になったので、これからどうなるか判りませんけど」

「ふうん」

先生はじっと何かを考え込んでいた。

その晩、私は自分の部屋で、「犬を連れた女」と向き合っていた。

先生は、学部長と約束が入っていたのを忘れていたのである。

私はその絵を持って帰るのをかたくなに拒否したが、先生は、『絵を抱えて行くわけにいかないから、コインロッカーにでも入れとけ』と私に絵を押しつけるとあたふた駆け出して行った。こんな大きなもの、コインロッカーに入るわけないじゃないか。

私はプンプンしながら家に帰った。

姉は今夜もまだ帰っていない。

この際、伊東濤子の怒りの原因を推理してみようと、カーテンを閉めてその前に絵をドカンと据え、正面に座ってじっくりと眺めてみた。

絵を初めて見た時の恐怖は、今ではまったく感じない。

あの黄色いバラの花を見ることもない。

慣れてしまうと平気なのかしら？

伊東澪子の激怒した顔が浮かんでくる。

この絵をあたしにですって？　殺されたって文句は言えないくらい嫌な女よ！

彼女は憎んでいた、倫子を。どうして？

ぐるぐる部屋の中を歩き回った。

もしも――もしも私が高槻倫子を殺した犯人に出会ったら、その時私は判るのかしら。その人がかつて「私」を殺した人間であると？

ふと、怖くなった。

ある日、誰かに紹介される――はじめまして、古橋万由子です。顔を上げて、その人物を見た瞬間に思い出すのだろうか？　あっ、この人はあの時「私」を刺し殺した人だ！

その時、唐突に電話のベルが鳴り、飛び上がった。

心臓がどきどきいっている。

しばらく身体《からだ》を動かすことができなかったが、やがて緊張が解けると、駆けだして行って受話器を取った。誰だろう、こんな時間に。お姉ちゃん？

「はい、古橋です」

「——万由子さん？」

低く女の声が耳に飛び込んで来た。

「はい？」

「——古橋万由子さんね」

知らない人だ。小さな、そしてどことなく悪意のある声。

「失礼ですが、どちら様ですか？」

思わず声が硬くなる。新手《あらて》のセールスかしら？

電話の向こうで、相手は一瞬押し黙った。

重たい沈黙が耳元に落ち、胸の奥に苦い気分が広がる。

「あなた、やめなさい」

「はあ？」

「やめなさい。あんなことしてちゃいけないわ。高槻倫子がどうなったか知ってるの？ いっぱい血を流して死んだのよ、とても苦しんでね」

背筋を冷たいものが走る。

「誰？」

「あの絵はだめよ。あの絵に関わっちゃだめ。あの絵には不幸がいっぱい詰まってるのよ。見ちゃいけないわ、でないとあなたも死ぬわよ、血をいっぱい流してね」

床がずうんと沈み込んでいくような気がした。

ゴクリと唾《つば》を飲み込む。汗ばんだ手で受話器を握り直す。

「あなた誰？　あなたが火を点けたの？」

「高槻秒に関わるのはやめなさい、いいわね」

冷たい囁《ささや》き声が早口でそう言い、ブツリと電話は切れた。

ツー、ツー、という無味乾燥な音が耳の中に流れる。

私は受話器を置くこともできずにその場に立ち尽くしたまま、ゆっくりと後ろを振り返った。暗い廊下の奥の明るい部屋に、あの、犬を連れた女の絵がどっかりと置かれているのが見えた。

2

「うわー、キレイだなあ、高槻倫子って。よかったね、万由子。こんな美人の生まれ変わりで」

今泉俊太郎が無責任に言い放った。

カチンときた私は、ぎろりと睨《にら》み返す。

俊太郎はいっこうに意に介さず、先生が書庫のどこからか発掘してきた高槻倫子の画集をパラパラめくっている。

私もつられて、ページを覗《のぞ》き込んだ。

画集を作った人々は、高槻倫子自身をも商品と考えていたことは間違いない。巻末の数ページを割いて、彼女をモデルふうに撮った写真や、簡単な経歴を紹介していた。

たしかにきれいだ。

ほっそりとして華奢《きゃしゃ》な指先。短めの髪に柔らかなパーマをかけた髪型も、現代に通用するセンスのよさだ。黒地に白の水玉のワンピースをシックに着こなし、黒のハイヒールをかちっと履いている。神経質そうな一方で、妙にどきりとさせられるような濡《ぬ》れた瞳《ひとみ》。でも、同性から見ると、どこか反感を覚える女性だというのは否定できない。

「ふーん、俊太郎もこういうのが好きなの？」

「いいじゃない、キレイだよ。性格悪そうだけど。一緒に連れて歩いて、上品な場所でデートして、わがまま言って振り回してもらいたいって感じの女だよね。生活したいとは思わないけどさ」

「子供のころの記憶に残すにはきれいすぎるわよね。秒が崇拝してしまうのも判《わか》るな。婚約者がかわいそう。永遠に母親を超えられないのよ、相手は美しいまま秒の記憶の中に凍結されちゃってるんだもの」

「——でさ、万由子に電話して来た女って、その伊東澪子って女じゃなかったのはたしかなの？」

俊太郎が急に訊《き》いて来た。

顔がひきつるのが判る。

「絶対に違うわ。もっと若い女の子よ」

「声ってけっこうだまされるじゃない。声だけ若いって人もいるし」

「ううん、違うわ。伊東澪子ってすごく特徴のある声だもの」

答えながら、また不愉快な気分が復活してくるのを感じてムカムカした。

脅迫。あれは、脅迫だった。

あんなふうに他人の悪意にじかに接するのは初めてだ。いたずら電話でさえ本当に憂鬱《ゆううつ》な気分にさせられるのに、名指しで脅迫されたのだ、気分悪いことこの上ない。

名前を知っているというだけなら、どうせ名前なんて電話番号とセットであちこちに書いているからまだいい。しかし、あの電話は不特定多数の誰かに対してではなく、たしかに私の行動を知っていてかけて寄越したものだ。しかも、女性だ。まともな若い女性なら、一度や二度くらいいたずら電話や無言電話で嫌な思いをしたことがあるだろう。そういう若い女があああいう電話をかけて来るのだ。冗談ではないに違いない。底知れぬ悪意を感じて、いっそう気分が滅入《めい》ってくる。

昨夜は何とも嫌な気分で布団《ふとん》にもぐり込み、朝になって家を出た時も、いつもの風景が違って見えた。知らず知らずのうちに、背後に人の気配を窺《うかが》ってしまう。誰かが私を見張っているのではないか？　電車を待っていても、誰かに突き落とされるのではないかと何度も後ろを振り返る。こんなに不安な気持ちになったのは初めてだ。

あなたも死ぬわよ、血をいっぱい流して。

あんな台詞《せりふ》を言われて、平静でいられる人間がいるだろうか？

先生の家にたどりついて一安心したものの、そこには今泉俊太郎が来ていて、根掘り葉掘り今回の事件の顚末《てんまつ》を訊くのである。私はすっかり不機嫌になり、腹立ち紛れに昨夜の電話のことも喋《しゃべ》ってしまった。

だいたい、この男はただの近所の幼馴染《おさななじ》みなのである。率直に言って、まったく恋愛感情を抱いたことがない。女としての直感で言わせてもらうと、彼のほうでもそうである。にも関わらず、くされ縁がずっと続いているのは、彼が好奇心だけで生きている人間であり、彼の行き当たりばったりの行動に愛想《あいそ》を尽かさないのは、幼いころから慣れているうちの姉妹ぐらいしかいないからである。

今泉俊太郎は「大」がつく金持ちの息子で、今両親はアメリカに住んでいる。

彼自身もしょっちゅう留学しているので、日本の大学を卒業したのは最近のことだ。けっこういい歳《とし》なのだが、今やっと大学院生。電子工学というのをやっていて、変人の常で頭はとてもいいらしく、日本の企業のみならず海外の企業からも引き合いが来るという。

この男、単に私が知り合いだというだけで、どこへでもやって来る。

銀行に勤めていた時も、一度窓口にやって来たことがあって、カウンターの中まで入って来そうになった。

逆立った頭の大男が、赤いTシャツと膝《ひざ》で切ったジーンズ、黄色いサングラスとピンクのスニーカーで現われたのだ。逆上した私は、思いきり他人のふりをした。

私があまりにも冷たい反応を示したので、彼は傷ついたらしい。

日系アメリカ人のふりをして英語で融資を願い出ると、さんざん支店長以下を困らせて帰って行ったのだった。そのあとのわれわれが、非常に険悪な雰囲気になったのは言うまでもない。

今回の勤め先にも、彼は突然現われた。

その時は黒のセーターにジーンズという無難な格好だったものの、私の顔がひきつったのは当然である。彼に新しい就職先を教えた覚えはなかったのだが、どうやら彼は私のあとをつけて来たらしい。

ひやひやする私を尻目《しりめ》に、そこは人格者の泰山先生のこと、まったく動じずに相手にしていたが、なぜか大いに意気投合してしまったのだった。

「いやあ、久しぶりに、なんかしっくりくる人に会ったなあ」

先生もご機嫌、俊太郎もご機嫌。私はいささか不機嫌であったが、それからというもの俊太郎はやたらと顔を出すようになった。理科系の学生はとても忙しいはずなのに、いったいいつ勉強しているのだろうと怪しむほどの頻度である。

そういうわけで、今もこうして誰よりもリラックスして、先生の家で画集をめくる俊太郎なのだった。

「さっきから何やってるんですか?」

俊太郎がおもむろに尋ねた。

先生は先ほどから、ぱたっ、ぱたっ、と鉛筆を机の上に落としているのである。

「万由子の真似《まね》をしているんだが、どうしてもできない」

「え?」

私はハッとした。

「ああ、これ」

私は無意識のうちに、指先でプロペラのように、くるくるボールペンを回していたのである。

「ううむ、器用だ。なんでできるんだ」

先生も、なんとか鉛筆を一回転させて、最初と同じ位置でつかもうとするのだが、ぎくしゃくするばかりだ。

「俊太郎、おまえ、できるか?」

先生が俊太郎に向き直ると、俊太郎は大きく首を横に振った。

「できないです。あれね、僕の三学年くらい下の子から、みんなできるんですよ。明確なジェネレーション・ギャップがあるわけ。僕が大学四年のころ、入学試験の試験官をした同級生がびっくりして帰って来た。試験会場で見回りしてると、会場の大教室のあちこちで、くるりくるりと鉛筆が回ってるんだって。百人単位で入るような教室で、相当の人数がそれをやってるんですよ。ちょっとした眺めだったって。あれ、面白いですよね。たぶん、昭和四十二、三年生まれの子たちが第一世代。そのころの子にはまだそんなにできる子がいなかったのに、それから下の子はだいたいできる」

「ふうん、イモ洗いの伝播《でんぱ》と同じだな」

先生はやたら感心している。

「なんですか、それ」

「猿がいっぱいいる島があって、彼らの主食はイモであったと。ある年までは、彼らは掘り出したイモをそのまま齧《かじ》って食べていた。ところがある日、その中の一匹が、イモを川の流れに浸してから食べたんだな。砂や泥が落ちて、おいしいということを発見した。やがて、彼らの親類や同じグループの猿たちも、イモは川で洗って食べるようになる。そして、何年か経《た》つと、その島で生まれた猿はみな、誰にも教わらなくても最初からイモを洗って食べるようになるんだねえ。イモは洗って食べるものという文化が伝播したというわけです。最近ではさらに進んで、イモを海水に浸して食べるようになったそうだよ。塩味がついてさらにおいしくなったと」

「そのうち焼いて食べるようになるんじゃないの」

「共時性というやつかもしれないですね」

「そうとも言える。あれも不思議だよね。何かの研究でもさ、それまで何十年も解決できなかった問題が、突然世界のあちこちで同時に解明されたりするんだよね。ふっとみんなが同じことを思いつく。やっぱり、この世の中には、われわれの知らない法則がいっぱいあるんだねえ」

先生はパタッと鉛筆を取り落とすと、突然思い出したように、ガサガサと机の上の書類をひっかき回し始めた。

「それでだな。あの伊東澪子とかいう女、けっこううさんくさい女だぞ」

「言われなくても、かなりうさんくさいですよ」

「いったいいくつなんですか」

「誰もよく知らないらしい。七十歳を超えてることは間違いない」

「えーっ」

思わず声を上げる。うーむ、化けるものだ。

「とにかく顔が広いというか、有名だよ、いろんな意味で。いろいろな業界で顔と名前を知られている。大学に行った形跡はないんだが、自分ではM美大で陶芸とデザインを罵ったと言っていたらしい。実際、若いころは、自分で作ったヘンテコな壺《つぼ》やオブジェを、あちこち精力的に売り込んで回っていたようだ。彼女の家は悪くないよ。三島《みしま》のほうの旧家の一人娘だったから、父親のコネを使ったんだろう。社交界に出入りするだけのバックはあったわけだ。要するに、彼女は芸術家になりたかったんだな。陶芸家、画家、詩人と、数年ごとにいろいろな肩書きを名乗っている。そのうちに、どこかの小さな新興宗教の教祖というのと電撃結婚した。最初はその男にぞっこんで、布教活動に燃えていたそうだ。しかし、男のほうは澪子の家の財力と人脈だけが目当てだったらしくて、さんざん揉《も》めたあげくに二年で離婚。親もさすがに手を焼いて、青山のあの場所に画廊を持たせた。その時すでに彼女は四十歳を超えていた。それ以来、美術研究家という肩書きを名乗っている。いつも自分の見つけてきた変な画家や彫刻家の作品を並べていて、美術界からは失笑されていたそうだ」

「なんだか悲しい話だなあ」

「本人はそう思ってないんだからいいんじゃないの」

俊太郎と私は、並んで頬杖《ほおづえ》をつきながら澪子の人生を想像した。

「誰でも適当にお世辞を言って彼女に取り入れば、とにかく画廊に並べてもらえる、ってんで、貧乏な画家や美大生には有名だったらしい。昔も今も個展を開くというのはたいへんなことらしいからね」

「じゃあ、高槻倫子もその中の一人だったんですね」

「そう。でも、彼女はその時すでに、一部では認められていたらしい。たしかに彼女は澪子のところに絵を持ち込んだが、そもそも澪子のほうが倫子の評判を聞いて、ぜひうちに来させるようにとしつこく誘ったんだ。そういう意味では、澪子の読みは正しかったわけだ。倫子はたまたま実力があり、センスもあり、幸運なタイミングも手伝ってたちまちスターになった。それで、伊東澪子も、一緒に有頂天になったんだ。すっかり倫子のマネージャー気取り。彼女に対する依頼はすべてあたしを通してちょうだい、とぶちあげたのさ。あの子はデリケートだからと、自分以外には接触させず、倫子が仕事で誰かに会う時は必ずついて来る。最初のうちは倫子も澪子に頼っていたが、しだいに二人の仲は険悪になっていった。しまいには、澪子が倫子に内緒でマージンまで取っていたことがバレて、大喧嘩《げんか》をして、ついに決裂」

「こわいよ」

「あの二人が喧嘩してるとこ、考えただけでもゾッとするわ」

「伊東澪子の嫌がらせは相当しつこかったらしいよ。高槻倫子を中傷する電話をかけまくり、手紙をばらまいてね。――そう、倫子の死の直前に、美術雑誌の主催したパーティーでも派手にやり合ったそうだ。その時の倫子の捨て台詞《ぜりふ》が『あなたみたいな人は、犬でも連れて歩いてればちょうどいいんじゃないの』。澪子の怒り方は、のちのちまで話の種になるほどすさまじかったそうだ」

「犬でも連れて歩いてれば――」

私たちは、示し合わせたかのように、床に置いてあるあの絵を見た。

犬を連れた女。それで、澪子はあんなに怒ったのだろうか？

「たしかに、そういう捨て台詞を残した相手にこのタイトルの絵を贈るっていうのは相当な嫌味だけどね。だけど、そんなに怒るような台詞かなあ？」

俊太郎は首をひねった。

「判《わか》らないわよ、人が何に対して腹を立てるかなんて。ね、それより倫子のスケッチブック見てみない？」

私は部屋の隅に置いてあるダンボール箱に顎《あご》をしゃくった。

今朝早く、秒が出勤前に車でやって来て先生に預けて行ったのである。

死の直前の、約半年分の倫子のスケッチブック。

日記代わりにしていたというのだから、何か興味深いものが見つかるかもしれない。

ちょっと怖いけど、スケッチくらいだったら大丈夫だろう。

俊太郎は、さっそくダンボールに飛び付くと、中から色あせた表紙のスケッチブックやクロッキーブックを取り出した。かなりの量である。

二人で手に触れたものから取り上げて、パラパラとめくってみる。

たしかに、意味不明な絵の断片が描かれていた。

同じ構図、同じ図柄が何ページも続いていたり、ただ三角形や渦巻きがぎっしり描かれていたりする。たちまち退屈した。芸術家の頭というのはこういうものか。

しかし、何冊ものクロッキーブックに、同じ男の顔がえんえん続くのを見ていると、ちょっと怖いような気がした。ポーズも構図もほとんど同じ。

昔、ムンク展を見に行った時、あの有名な「叫び」にもたくさんの習作があったのに驚かされたものだ。それともう一点、男の首の後ろ姿と女の髪の毛がからみ合った絵があって、執拗《しつよう》に同じ構図の絵がたくさん並べてあったのを覚えている。男も女も顔は見えず、背景は黒一色に塗られていて、ほとんど二人の首の部分しか描かれていない。いったいムンクはこの構図のどこに執着したのだろう、と不気味に思ったのを唐突に思い出してしまった。

クロッキーの男の顔に見入る。この男は誰だろう？　若い男のようだ。現実に存在していた人間かしら？　それとも倫子の見た幻影？　荒々しいタッチから、男の精悍《せいかん》さが際立《きわだ》っている。

内容はたいしたことがなかったので、私も俊太郎も次々とスケッチブックをめくっていった。

最初は気付かなかったが、ページの隅に、小さく日付が書かれている。

なるほど、たしかに日記代わりだったのかもしれない。言っちゃあなんだが、この汚くて読みにくい字では、日記を書く気はしなかっただろう。

同じ絵をずっと見ていると、アニメーションを見ているような変な気分になってくる。

パラパラページをめくっていて、ん、とひっかかるものがあった。

何度も同じ図形を見たような気がしたのである。

気のせいかと思って、ゆっくりページをめくってみた。

よく見ると、日付の脇《わき》に×印が付いている時がある。

「ねえ俊太郎、これ何だと思う？」

私は彼にそのマークを指差して見せた。

「バツ印に見えるけど」

「だから、何のためかって訊《き》いてるのよ」

「わかんないよ、そんなの」

　そのマークは断続的に付いていた。二日続くこともあったが、だいたいは二週間か三週間おきだった。

　日付の隣りに書いているところを見ると、倫子にとっては何かの印だったものらしい。

「万由子って絵描くの？」

　俊太郎が急に訊いて来た。

「ううん、全然」

「美術の成績は？」

「ずーっと3」

「描いてみれば？　もしかして意外な才能があるかもよ」

「ないわよ」

　私は苦笑した。

「俺、思うんだけどさ。生まれ変わりって、けっこうみんなどこかで信じてるよね。幽霊とか超能力とかＵＦＯは信じなくても、生まれ変わりは信じてる人多いと思うんだ」

俊太郎が神妙な顔で言う。

「へえ、俊太郎も信じてるの？」

「万由子は既視感《デジャ・ヴ》って感じたことないの？」

逆に訊き返された。

「それはあるけど」

「でしょ？　今アメリカでもニア・デス研究がさかんだけどさ。要するに、どうして生まれ変わりなら信じられるかっていうと、結局、死というものがいつもわれわれには未知だからだよね。われわれは生しか知らない。生の間の記憶しかない。自分が突然やって来て突然いなくなるというよりは、ずっと続いてるものの一部というほうが受け入れやすい。だって、自然界のものはみな循環してるじゃない？　水だって、地球上の総量は一定で、雲になって雨になってぐるぐる回ってる。そういうものが周りにあるのに、人間だけが一過性のものだとは考えにくいよね。べつに仏教のせいとかじゃなくて、これって人間が根本的に持ってる思想だと思うんだ」

「はあ」

「だから万由子も、自分の幸運を自覚して、積極的に前世を思い出すように努力すべきだよ」

「幸運？　あたしが？　どこが幸運なのよ？　こんなひどい目に遭ってるのに？」

俊太郎が珍しく真剣な顔で話をするので真面目《まじめ》に聞いていたが、これではあんまりだ。

「幸運じゃないか。自分の前世の人間が判るなんて」

俊太郎はまったく動じない。

「あたしは知りたくなかったわよ。少なくともこんな形では」

私は頭を抱えた。こんな面倒な話になるんだったら、先生か俊太郎に生まれ変わって来てくれてればよかったのに。

「そういえばさ、前世で変死した場合って、生まれ変わってからも、前世の死の原因になったものに恐怖感を覚えるっていうじゃない。飛行機事故で死んだ人は飛行機を怖がるし、水死した人は水を嫌がるんだって。万由子はどう？　ハサミが怖い？」

俊太郎は平然と話を続ける。こいつにデリカシーというものを期待するほうが間違いだったらしい。

私はあきらめて、ちょっと考えてみた。まったく身に覚えがない。

「ううん、全然。あたしハサミ使うの上手だもん。だいいち、うちって刃物の管理きちんとしてるもんね。ハサミにも全部カバーついてるし、ケガもしたことないし、ハサミで怖い目に遭った覚えなんて全然ないもの。ハサミを怖いと思ったことだって、ないわ」

肩をすくめてみせる。

「だいたいさ、その辺がよく判らないのよ。生まれ変わりっていったって、オリジナルなAという人格が記憶を変えて永遠に生き続けるわけなの？　それとも、魂という、フロッピーディスクみたいに真っ白なフォーマットがあって、毎回違う情報を入力するの？　それによって全然違ってくるよね。魂自体に人格があるのかしら？　もし前者だとすれば、あたしと倫子の性格がもっと似ててもいいような気がする。後者だとすれば、消し忘れた情報がフロッピーに残ってたってことよね」

「ふむ。たしかに。フロッピー説というのが正しいような気がするな。でも、フロッピー自体の性能とか環境で、それは変わってくるんじゃないの。容量が少ないとか、使ってるうちに磁気を帯びちゃったとか。それはそれで、フロッピーそれぞれに癖というか差が出てきて、それがいわゆる『人格』になっちゃってるのかもしれないしさ」

ますます話が面倒くさくなってきた。博士号を持ってる人間と議論をしようという気はさらさらない。

「昼めし、食いに行こうよ」

退屈していた先生がぽつんと言った。

家に帰るまでは、忘れていた。

買い物をして、家に着いた時、辺りはもう暗くなっていた。

鍵《かぎ》をごそごそ探す。荷物がいっぱいある時にかぎって、鍵が見つからないのはなぜだろう？

それでなくとも、食料品というのは重いのだ。ドアのノブにスーパーの袋をいったんかけて、本格的に鍵を探しにかかった時、生ぐさい臭《にお》いに気が付いた。

何だろう、この臭い？　生ゴミ？

鼻をくんくんさせながら、ふとドアを見ると、何かが点々と着いている。

暗くてよく見えない。泥かしら？

足元がぬるっ、と滑った。

おっと、と体勢を立て直した時、ぐにゃりと柔らかいものを踏んだ。

何かが足元にある。

私は自分の足を見下ろした。えっ、と思った。

ベージュの靴にべったり何か黒いものが付いている。

なあに、これ。

私は顔を足元に近付けた。プン、と激しい臭いが鼻をつく。自分の影になって、何があるのかよく分からない。

靴に付いたものに指を触れてみる。何か黒いものが付いた。

指を目の前に上げてみる。

黒？　違う、黒じゃない。これは——

赤だ。赤い色だ。

その時初めて、私は自分が血溜《ちだ》まりの中に立っていることに気がついたのだった。

3

「こちらへどうぞ」

アースカラーのシンプルなワンピースをみごとに着こなした、とても笑顔の美しい女性が、私たちをその部屋に案内してくれた。

私はその女性に感心した。すごい美人で頭もよさそうだし、しかもあんなに偉い人の秘書なのに、慇懃無礼《いんぎんぶれい》なところがまったくない。ストンとこちらに入って来る気安さと同時に、凜《りん》とした清潔感があって、こんなふうになりたいな、と思わせる。三十代半ばくらいだろうか。素敵な人だ。

こういう女性を秘書にしているのだから、上司の人柄も期待できるかもしれない。また伊東澪子みたいなのが出て来たらどうしようかと思っていたのだ。それでなくとも、ここ数日眠れないし食欲もない。

矢作英之進のオフィスは、驚いたことに、原宿からちょっと引っ込んだところにある、地味な四階建てのビルの最上階にあった。

これだけの著名人である。現役を引退しても、会長や理事長を名乗ってどっかりあぐらをかいていても許されるはずなのに、自分の会社にはもう部屋を持っていないそうなのだ。しかも、あまり風景に変化のない丸の内のオフィス街よりも、どんどん風景が変わって歩いている人も見飽きないからと、この場所に個人でオフィスを構えたという。

「矢作が、今日はご馳走《ちそう》を作るって張り切っておりますわ」

その美女が茶目っ気たっぷりにウインクをしてみせ、落ち着いた造りの木製のドアを開けた。

私たちはあっけにとられた。

そこは、ぐるりとガラス張りの窓に囲まれた、広々としたフロアだった。すっきりとした機能的なオープンキッチン、一枚板の巨大なテーブル、ゆったりとしたモダンなソファ。どれをとってもオフィスという感じはしない。どこかのレストランにでも来たのかと思ったほどである。

よく磨かれた窓から、街路樹の緑が濃い色を落としていて、都心とは思えない爽《さわ》やかさだ。その緑の影の中で、一人の男がめまぐるしく動き回っていた。

水を流す音や、何かの炒《いた》めものをする音で活気にあふれていて、香ばしい煙やほかほかした湯気が立ち込めている。

男の動きはきびきびとして正確だった。動きを見ているだけでは若者のようである。

「社長、お待ちかねのお客様がお見えになりましたよ」

パッと振り向いたその男に、私は強烈な印象を受けた。

一緒にいた秒や俊太郎も、それは同じだったようである。

今日は先生が来られず、代わりに俊太郎がこの会見の模様をこっそり録音してくるように言いつかったのであった。彼が珍しく麻のスーツをパリッと着て来たのも、内ポケットにウォークマンを忍ばせるためだ。

かなりの高齢であろうが、その目はキラキラと輝き、表情は生き生きとして活力がみなぎっていた。頭角を現わす人間と凡人とどこが違うのかと言えば、やはりそのエネルギーの放出量であろう。われわれとは比熱が全然違うのだ。エネルギーの内蔵量、吸収量、どれを取っても尽きるところがない。

彼もそうだった。白い髭《ひげ》も、禿《は》げあがった頭も、すべてピタリと決まっていて、この年齢以外の彼を想像することができないくらいチャーミングだ。中肉中背の瘦《や》せた身体《からだ》だが、立ち居振る舞いに無駄がなくしなやかだった。そこに立っているだけで、この人はただ者ではない、というオーラが漂って来る。

彼が振り向いた瞬間、目の前が青になった。

彼が背にしている窓ガラスいっぱいに、大海原がうねるのが見えた。潮騒《しおさい》が、ドーンという爆発音のように私の頭上に押し寄せて来た。

足元に砂の感触を感じ、すべるように後ろに走って行く波の匂《にお》いを嗅《か》いだ。

そして、その海原を背にして、瘦せて眼光の鋭い男が立っているのが見えた。真正面からこちらを見据える、キリリとした精悍《せいかん》な顔だち。意志と知性の鋭さが前面に押し出された、働きざかりの迫力。

「はじめまして、矢作英之進と申します」

若々しい声に、私はわれに返った。

痩せた眼光の鋭い男は、目の前に立っている親しみのこもった笑顔の老人になった。

——あの男は——この人？

矢作英之進の若いころだったのだろうか？　どこかで見たことがある——どこでだったろう？

「本日はどうも、お忙しいところを本当にありがとうございます。私、高槻秒でございます。生前、母が非常にお世話になったそうで」

例によって、秒がコチンコチンに緊張した声で挨拶《あいさつ》した。日ごろ、自分で営業したり交渉したりすることが少ないだけに、人見知りするし、挨拶は苦手なようである。

しかし、最初はなんてぼんやりした男だろうと思っていたが、こうして何度か会うようになると、意外に濃《こま》やかな青年なのに驚いた。

先生に似ていると思ったのもまんざらではなく、慣れてくると、じつに頭のいい人だというのに気が付いた。俊太郎も、「あの人、きっと優秀なエンジニアだと思うよ」

と珍しくこっそり褒めたくらいである。

澪子や英之進のオフィスを訪ねた時も、ただ漠然と周りの景色を見回しているように見えるのに、どこに何の建物があって、何の標識があって、というのを一瞥《いちべつ》しただけで覚え込んでしまう。芸術的センスはまったくないと言っていたが、母親の絵を見るにしても、何かを見比べるにしても、色眼鏡がない分だけ本質的なところを突いて来る。なかなか奥の深い、不思議な人なのだった。

英之進は、じっと杪を見つめた。目に懐《なつ》かしさがあふれてくる。

「そうか、君が杪くんか。立派になられて。さぞかし、お母さんも喜んでいるだろう」

彼はつかのま絶句して、大柄で朴訥《ぼくとつ》な杪を見上げた。

杪はどぎまぎしている。

英之進は、自分の感慨を振り払うかのように、私と俊太郎に向き直った。

杪が、例によって高槻倫子の回顧展を手伝ったスタッフである、と私たちを紹介する。

英之進の瞳《ひとみ》が、鋭くサーチライトのように私たちを照らすのを感じ、一瞬身構えた。

しかし、すぐさま彼の顔の厳しさがふっと和らぎ、いたずらっぽい笑いが口元に浮かぶと、彼は上機嫌で私たちをテーブルに案内した。

彼は、シャツの上に着ていたブルーの割烹着《かっぽうぎ》をするりと脱いだ。淡い紫とモスグリーンのストライプのシャツに、臙脂《えんじ》色《いろ》のネクタイ。とてもお洒落《しゃれ》である。

「ささ、私のオフィスに来たのが運のつきだと思ってあきらめて、私の昼食につきあってくれるだろうね？　夏の終わりの午後に、都会の街路樹を見ながら昼食を食べるというのもおつなもんだよ。お昼においしいホットサンドを食べるのがここ半月の私の課題でね。その前は、おいしいフレンチトーストだったんだけど。おかげで来る日も来る日もお昼はホットサンド。私の秘書の相沢《あいざわ》くんが毎日笑顔でつきあってくれてるが、今日は違うものを食べに出かけられるんで、さぞかしホッとしとるだろう」

英之進はくすくす笑った。

「相沢くん、素敵だろう？　私がまだ矢作コーポレーションにいた時に、外務省から引き抜いて来たんだよ。正直言って下心があったんだが、旦那《だんな》がペンタゴンにいて、新たな日米経済摩擦の種を作るわけにもいかないし、彼女もあの顔で瓦《かわら》十枚割るからねえ。日々切ない思いをしてるんだ。でも、切ない思いというのはいいもんだよ、ぼけないためにもね。ま、そういうわけで、今日は君たちが、この迷惑な年寄りの相手をさせられるのさ」

英之進は歌うように話しかけながら私たちをテーブルに着かせ、慣れた手つきでグラスやお皿を配った。そのしぐさがなんともユーモラスで愛嬌《あいきょう》にあふれていて、秒でさえ目に見えてリラックスした表情になった。

「私の妻は、和食以外駄目なんだよ。朝と夜は日本旅館のような純然たる和食。しかし、私はパンが大好きなんだ。昼はパン食と決めてるのさ。こんな日は、トロリと苦い黒ビールか、きりっと冷えた白ワインだね。秒くん、そこの引き出しにオープナーが入ってるから、冷蔵庫のワインの栓を抜いてくれないかね？」

秒ははじかれたように冷蔵庫に走った。

彼が大きな身体を丸めて、真剣な顔でキコキコとワインの栓を抜いている間に、英之進はホットサンド焼き器を開け、みごとな黄金色《こがねいろ》に焼けたパンを取り出した。器用にパン切りナイフでサクサクと斜めに切り、野菜と果物を色鮮やかに並べた伊《い》万里《まり》の大皿と一緒にテーブルに載せる。

あの晩以来、沈滞気味だった食欲という感覚が復活するのを感じた。

あの時、私は悲鳴すら上げることができなかった。

無言で家を飛び出すと、一目散に駅まで走って行った。なぜ交番に駆け込まなかったのか不思議だが、その時はまったく思いつかなかったのである。

駅の改札で、自分の靴を見ないようにして、ひたすら姉が帰って来るのを待った。

時間の感覚が麻痺《まひ》しており、一時間待ったのか、二時間待ったのか、全然判《わか》らない。

酔客の群れが一段落したあと、疲れた顔の姉が出て来た時は、私はほとんど泣きださんばかりだった。

姉は、まるで幽霊でも見たような顔をした。実際、私は幽霊のような顔をしていたに違いない。私はしどろもどろになって姉に説明した。

姉は私の靴をじっと見て、静かに言った。

「落ち着いて、万由子。それ、血じゃないわ。ペンキか何かみたい」

姉は私を連れてつかつかと駅前の交番に入ってゆき、うちに誰かが侵入したらしい、と手短に説明すると、警官二人を引き連れてわが家に向かった。

私がドアのノブにかけた、スーパーの白い袋がぽつんと置き去りになっていた。

ニャー、という猫の声にみんなでびくっとする。

警官が懐中電灯で足元を照らした。

サッと逃げ出す猫の後ろ足が見えた。

「なんだこりゃあ」

そこには切り裂かれた魚が散らばっていて（どうやら寄せ鍋《なべ》用の、アラのセットをばら撒《ま》いたらしい）、その上に赤いペンキがぶちまけられていたのである。

警官は家の周りをすみずみまで見てくれたが、ほかには何の痕跡《こんせき》もなかった。家の中も異状はなく、あくまで私を動揺させるのが狙《ねら》いだったらしい。

姉が凄味《すごみ》をきかせて、しっかりパトロールして市民生活を守ってくださいね、と言ったのが功を奏したらしく、その後数日は朝も夕方も警官がうろうろしているので、何事も起きていない。

しかし、二日続けて、脅迫電話と訪問を受けた私のダメージは大きかった。

彼女はここまで来たのだ、私のうちまで！

私が立っていた玄関に、彼女も立っていたのだ！

そう考えると家にいても落ち着かず、窓の外の影や風の音にもびくびくしてしまう。むしろ、かえって家の中に一人でいるほうが恐ろしくて、家に帰るのが怖くなってしまった。誰かがドアの向こうに立っているのではないか、窓の外から手を伸ばして来るのではないか。世界一安らかな場所だったわが家が恐ろしいなんて！

姉は何か心当たりでもあるの、と何度かさりげなく訊《き》いて来たが、私に答えられるはずもない。ひたすら首を横に振るばかりだ。

警察が写真を撮って行ったあと、掃除をするのがまた一苦労だった。

ペンキはもとより、ブラシでごしごしこすっても、魚の生臭い臭《にお》いが取れない。集まって来た猫を追い払うのがたいへんで、しまいに消臭剤を撒《ま》いたが、何日も嫌な臭いが残っていた。自分の身体にもその臭いが染《し》みついてしまったようで、鼻から臭いが離れない。

あなたも死ぬわよ、血をいっぱい流してね。

あの冷たい囁《ささや》きが、何度も何度も耳によみがえる。

いったい誰が、なんの恨みがあってあたしをこんな目に遭わせるんだろう？

ここ数日、ろくにものを食べられなかった。

白ワインで乾杯をして、当初の目的も忘れてホットサンドにかぶりつくと、ようやく悪夢から覚めたような心地になってきた。

それにしても、「高槻秒に近づくな」と言って来たということは、あの女は秒のことを知っているということだ。私が秒と接触しているという事実は、秒からしか判らないはず。秒の近くにいる人間なのだろうか？

秒にはまだ脅迫のことを話していなかった。言いづらかったし、先生も今は話さないほうがいいのではないか、と言っていたからだ。

しかし、この脅迫者が誰なのか目星をつけられるのは、少なくとも秒しかいない。

悪意を持った人間が現に私の家までやって来ているのだ。遠慮している場合ではないだろう。話してみたほうがいいのかもしれない。

テーブルは終始和やかな雰囲気に包まれていた。おいしいものの力は偉大である。

さすがに日々研究を積んでいるだけあって、そのホットサンドはおいしかった。中の具も凝っている。帆立、鶏肉《とりにく》、ザーサイ、椎茸《しいたけ》という中華風。ハム、レタス、トマト、チーズというアメリカ風。塩鮭《しおじゃけ》、ゴボウ、芹《せり》、塩吹昆布《しおふきこんぶ》という純和風。しっかり中の具と味を覚えて、うちに帰ったらお姉ちゃんに作ってもらおう。

姉は、今ではなかなか腕を振るうヒマがないけれど、かなりの料理上手である。

便利なものはどんどん使おうというタイプで、キッチン用品には目がない。

新種のフードカッターやパスタ製造機など、仕事柄勤務先で新製品を見つけると、どんどん買って来てしまう。

彼女がこのオープンキッチンを見たら、涎《よだれ》を流すに違いない。シンプルではあるが、非常にお金がかかっているのが判る。業務用のような冷蔵庫やオーブン、ハイカロリーのガスバーナー。電気の使用量だって半端《はんぱ》じゃないだろう。巨大なレンジフードやどっしりしたシンクはよく磨きあげられており、英之進が自分で掃除しているのだとすれば、たいしたものだ。こういうところにふんだんにお金をかけられるのは、本当にお金持ちなんだなあ、と変なところで羨《うらや》ましく思った。

ここ数日、姉は私のことを気にして、無理して早めに帰って来てくれ、夕食をこしらえてくれた。銀行を辞めた時のことが思い出される。いい歳《とし》をして、また心配させているのだと思うと、自分が情けなくなる。

「あの、では、そろそろお話しした絵を差し上げたいと思うんですが」

食事が一段落したところで、秒が控え目に切り出した。

英之進は、ふっと黙り込んだ。

その沈黙が不自然に長かったので、秒は狼狽《ろうばい》した。私もなんとなく不安になった。このあいだの伊東澪子のように、英之進が怒りだしたらどうしよう？

「——拝見しましょう」

ようやく言葉を発した英之進の口調に、おやっ、と思った。

その声には、かすかだが、怯《おび》えたような響きがあったからだ。

秒が絵を渡すと、英之進は少しためらってから、器用な手つきで素早く梱包《こんぽう》してあった絵を開いた。

どんよりした曇り空の海。

雲は低く、のたうつ波にくっつきそうだ。雲の薄いところにはほのかに夏の光が射《さ》す。

夏の終わりのもの憂《う》げな風景。

英之進は、真剣な目でじいっとその絵を見つめていた。

その表情の奥に、複雑なものが浮かんでは消えして、通りすぎていくのが見えた。

そして、最後に浮かんできたものが、深い安堵《あんど》の表情であるのに気づいて、私は不思議に思った。この、ただの風景画が、何も恐れるもののないはずの著名人に与えた恐れと安堵とは何なのだろう？

英之進は、絵をそっと裏返し、キャンバスの裏を見た。

そこには、高槻倫子の自筆で、「曇り空」という絵のタイトルが書かれていた。

英之進は、その字をゆっくり指でなぞった。

「たしかに、彼女の字だ」

私たちはその様子をじっと窺《うかが》っていた。

秒は隣りでハラハラしていたが、英之進が絵を受け取ってくれたのでホッとしたようだ。

「――彼女は素敵だったよ。当時、ミオ画廊で展覧会を開く前から、彼女はすでに噂《うわさ》になっていたんだ。伊東澪子は、君たちも会ったそうだから判るだろうけど、あのとおりの下品な人物で好かなかったが、ちょっと見てみようと思って出かけたのさ。

驚いたねえ。モダンで、繊細で、美しくて、しかも毒があって、じつに新鮮だった。本人に会って、もっと驚いたよ。絵のままなんだから。毒のある美しい花。断わっておくが、これは褒め言葉だからね。素晴らしいもの、美しいもの、価値のあるものには、必ずほんの少し毒が含まれているものさ。

たしかに、彼女はつきあいやすい人ではなかった。秒くんも判るだろ？　でも、あの人には、特別なものが、モザイクのかけらのように、ところどころに埋もれていたよね。それが時には彼女を神々《こうごう》しく見せ、時には魔女のように見せた。

高槻氏は彼女の一回り年上だったそうだが、そういうところもひっくるめて彼女を愛していたんだろうね。彼女が有名になってからも、いっさい自分が表に出て来ることはなかった。

君も覚えているだろうが、彼女は自分の見る『幻視』に悩まされていた。とくに、絵を描いている時はひどかったようだ。芸術的なインスピレーションが湧《わ》く時に、そういったものも一緒に入って来るのだと。私は時々、彼女を商業デザインに引き入れたことを後悔したよ。彼女には苦痛だったのではないかとね。君が生まれ、絵の評価は日に日に高まり、仕事も順調だったというのに、彼女は自分の将来が、近いうちにプツリと切れそうな気がする、と言っていた。まさか、と私が取り合わないと、そのうち判るわ、と」

秒は食い入るような瞳《ひとみ》で英之進の話を聞いている。

英之進は、その一途《いちず》な視線をかわすかのように優雅に立ち上がると、お湯を沸かしはじめた。

「彼女はあんまり自分のことを話さない人でね。秒くんは、お母さんの子供のころの話を聞いたことがあるかな？」

「いいえ、全然。両親が別れたという話だけ、ちらっと」

英之進は、シンクに寄り掛かったまま頷《うなず》いた。

「あまり少女時代は恵まれてなかったようだね。幼いころに両親が別れて、母親は水商売をやって彼女を育てた。彼女の美貌《びぼう》は母親譲りだったようだが、とてもむら気な人で、アルコール依存症気味だったらしく、よく殴られたと言っていた。とにかく早く家を出たくて、子供のころからありとあらゆるアルバイトをして、こっそりお金を貯《た》めていたそうだ。

母親にはパトロンがいたようだね。彼女が中学生の時、母親が亡《な》くなって、別れた父親に養育費を拒否された時にも、倫子の学費と生活費を払ってくれたらしい。その人も、彼女が大学を卒業する直前に亡くなって、本当に私はずっと一人ぼっちだったと、一度だけ彼女が呟《つぶや》いていたのを覚えている。今でも目に浮かぶよ、国際博のパーティーが終わって、彼女を家に送って行く時だった。低い声で淡々と前を見つめて話していた、醒《さ》めた横顔が。これだけのことを彼女から聞き出すのにもずいぶんかかったものだ。

子供のころから絵を描いていたけれど、ずっと誰にも隠していたそうだ。どうして、って訊くとね、彼女、真顔でこう言ったよ。

みんなを憎んでいたから。絵は、あたしの憎しみの捌《は》け口だったからよ。そんなもの、他人に見せられないでしょ? あたしという人間のゴミ溜《た》めみたいなものだったんだもの。

私は何も言えなかったよ。それまで、私の美術観というのは、ただただ美しいものを鑑賞するだけだったからね。世の中には、そういう気持ちで絵を描く人もいるんだとショックを受けたものさ」

英之進はサイドボードからティーカップを取り出した。

「君も今さら、脚色した話は聞きたくないだろう。私の知ってるままの彼女を話させてもらったよ。

私が思うにね、彼女はちょっと早く生まれすぎたんだな。自分の先の先の未来ばかり見て、一気に人生を駆け抜けてしまった。今彼女が生きていたら、もう少し人生を楽しめていたような気がしてならない。彼女は見た目よりずっと男性的で、凄《すご》いパワーがあった。もっと豊かな人生をつかみ取るだけの力があったんだ」

私は、その言葉が自分に向けられたもののように思えた。

私は、どうなのだろう。

私も彼女のように、見えないもの、先のものを幻視していると、どんどん人生をすり減らしていってしまうのだろうか。

いつか、自分の人生の終焉《しゅうえん》をも見てしまうのだろうか。もし、彼女が「私」なのであれば、私も彼女のような転落を繰り返すのだろうか。

「亡くなる一年ほど前から、彼女はよく生まれ変わりの話をしていた。

この次は失敗しないからね。この次は、もっと強い女になって帰って来るわ。

私は適当に話を合わせていたが、彼女は大真面目《おおまじめ》だった。君たちはどう思うか判《わか》らないが、このくらいの歳になると、ふっとこの次はどんな人生だろうって思うようになる。最近になって、倫子の気持ちが判るような気がする。次がある、次も頑張ろうってね」

私は必ず帰って来る。

それが「私」なのだろうか。「私」は帰って来たのだろうか？

「最後に母に会われたのはいつですか？」

じっと話を聞いていた秒が尋ねた。

英之進は考え込んだ。

「彼女が亡くなる一月《ひとつき》前くらいだと思う。そのころ、私も彼女も忙しくなっていたからね。よく覚えていないな」

なんとなくそこで、話はとぎれた。私たちは英之進が淹《い》れてくれた香り高い紅茶をゆっくりと無言で飲んだ。

「今度はぜひ、奥さんといらっしゃい」

その言葉を合図に、私たちは席を立った。

「——ところで、泰山は元気かね？　絵の研究もしているとは知らなかったが」

英之進が何気なく呟き、私たちはぎくっとした。

私と俊太郎はしらばっくれようとしたが、秒が狼狽《ろうばい》してしまい、完全にバレてしまっていた。

「先生をご存じなんですか？」

俊太郎が、努めて平静を装《よそお》って尋ねた。

英之進はふふ、と笑った。

「私と彼は古い友人なんだよ。そちらのお嬢さんが彼と一緒にいるのを前に見たことがある。私は、人の顔は忘れないたちでねえ。泰山も連れて来ればよかったのに。私が話を加減するとでも思ったのかな？　そんな心配は御無用だったのになあ。隠しマイクで話を録音するなんて面倒くさいことをするより、直接話を聞いたほうがいいと思わないか、なあ、泰山？」

ニヤニヤ笑いながら、英之進は俊太郎の胸元に顔を突き付けるようにして言った。

俊太郎は反射的に胸を押さえてしまい、しまった、と小さく叫んだ。

あははは、と英之進は豪快に笑う。

「どうして」

俊太郎は赤くなって英之進の顔を見た。

英之進の目が鋭くなった。

「私はね、もともとはＡＶ機器の音響技師だったのさ。不思議なことに、どんなに静かな音でも、テープが回っている音というのは判るものなんだ。近くで機械が動いている、という気配がね。そういうものさ。君も技術者なら判るだろ、秒くん？　泰山にくれぐれもよろしく伝えてください。そのうちゆっくりお目にかかりたいってね」

4

「俊太郎、カンカンでしたよ。なんで最初に知り合いだと教えておいてくれなかったんだって」

「いやあ、だますつもりはなかったんだが、なんとなく言いにくくてなあ。あの人、ちょっと苦手なんだよ」

先生は頭を掻《か》いた。

「苦手って——そんなに親しい人なんですか」

驚いて尋ねる秒に、先生は言葉を濁す。

「ま、その、昔いろいろあってね」

少女たちが笑い声を立てながら通りすぎてゆく。下校時間にしては遅いから、部活動を終わらせて帰宅する生徒たちだろう。

地下鉄日比谷線の駅から歩いて十分。閑静な住宅街にその女子校はあった。都内屈指のお嬢さん学校というばかりでなく、かなり偏差値も高い、女の子たちの憧《あこが》れの高校である。

その校舎と向かい合わせに巨大な公立病院があり、あいだに挟まれた道路のバス停からは、身体の弱った老人と、人生のもっとも華やかな一時期を享受《きょうじゅ》する少女たちが一緒にぞろぞろとバスに乗り込んでゆく。その風景は、見ようによっては、かなりの皮肉に思える。

おそらく、同じバスに乗っていても、少女たちの視界には、老人たちはかけらも入っていないだろう。病気も老いも、死も、彼女たちとはまったく無縁の世界なのだから。

リストの三人目。

これから絵を渡そうとしている十和田《とわだ》景子《けいこ》は、この学校の校長なのである。

彼女は、高槻倫子の高校時代の同級生だったのだ。

ぞろぞろと帰宅する少女たちの流れに逆らって進んで行く先生と私、そして絵を抱えた秒は、いかにも場違いだった。

「当時の新聞記事を探してみたんだけど、いや、じつにみごと、倫子の死はまったく記事になっていないんだよ。いくら高槻倫子の夫が手を尽くしたとはいっても、あそこまでできるはずがない。俺にはどうしても、矢作英之進が一枚噛《か》んでるとしか思えないんだ。彼ならできただろう。しかし、なぜ？　なぜ彼がそんなことをする必要があったんだろうか」

先生は小声でぶつぶつ呟いている。

私は隣りを歩きながら、別のことを考えていた。

あの時、矢作英之進のオフィスで見た、海辺に立つ男。

あれは、倫子のクロッキーブックに描かれていた男だ。

道理で、どこかで見た顔だと思ったわけだ。

何枚も何枚も、何日も何日も、倫子が描き続けた顔。

私は確信していた。

彼女はあの絵の男を愛していたのだ。とても激しく。

この発見を先生たちに言う気にはならなかった。同性として言えなかったし、倫子を卑《いや》しめるような気がしたからだ。

「——そういえば、昨夜、伊東澪子から電話がかかって来たんです」

秒がふと思い出したように言った。

「ええっ、何の用で？」

私は露骨に不快な顔で尋ねた。

「このあいだはすまなかった、ってやけに低姿勢なんですよ。かえって気味が悪くなっちゃって。それで、何かと思ったら、根掘り葉掘り母の遺書の内容を訊《き》くんです。しつこいのなんのって。ほかにも絵をあげた人はいるのか、いったい誰にあげたのか、エトセトラ。むかむかしちゃって、それは故人のプライバシーだから名前は教えられません、ってつっぱねたんですよ。それでもしつこく食い下がる。じゃあ、あげた絵のタイトルだけでも教えてくれって言うんです。なんでそんなことを知りたがるんで すか、って逆に訊くと、のらりくらり話をかわす。あんまりしつこくて不愉快なんで、タイトルだけならって教えたんですけど」

「絵のタイトル？　絵を寄越せとは言わなかったの？」

先生がくるりと顔を向けた。

「ええ。四つの絵のタイトルを教えたとたん、ブツッと電話切られちゃって。つくづく変な女だなと思いましたよ」

「タイトルねえ。犬を連れた女、曇り空、黄昏《たそがれ》、晩夏。この四つに何か意味があると思うか？」

「さあ」

私は首を振った。


受付に、十和田校長と約束がある旨《むね》を申し出ると、しかめ面《つら》だった職員は、いきなり愛想がよくなった。営業的な笑顔で、校長室への道順を説明する。

校内はしんと静まりかえっていた。

懐《なつ》かしい、放課後の空気。この中では永遠にこういう時間と空気が流れ続けるのだ。長い廊下を歩いて行くと、時間も少しずつ逆行していくような気がする。

事実、私たちは過去へと歩いているのだ。高槻倫子が存在していた時間へと。

校舎の奥まった一角に、大きな木のドアがある。秒が、緊張した面持ちでノックした。

張りのある、それでいて柔らかな声で中から返事があった。

ドアを開けると、天井の高い古い部屋の中、大きな机に美しい女性が座っていた。白の開襟《かいきん》ブラウスから真珠のネックレスが涼しげにのぞき、ふわりと薄手のモスグリーンのカーディガンをはおっている。

英之進と同じような印象を受けた。ベストの方法で齢《とし》を重ねてきた人間の顔。しわや白髪も彩《いろど》りになってしまう。倫子も美人だったが、この人もさぞかし美しかったに違いない。

「お待ちしてましたわ。どうぞ、お掛けになって」

十和田景子はスッと立ち上がると、応接セットに私たちを促した。

この静謐《せいひつ》な空気は、懐かしく、しかも新鮮だった。子供のころは、どこでもこんな空気が流れていたような気がする。

「お茶をね、今用意しますからね。あなたが高槻秒さんね？　はじめまして、十和田です。よかったら、あなたが絵を開けてくださる？　私はとても不器用なの。大切な絵を傷つけたら大変だわ」

眼鏡の向こうから、澄んだ瞳《ひとみ》が秒を見た。

「は、はい」

例によって、秒はたちまち飛び上がり、絵に手を伸ばした。

景子が薄い青磁《せいじ》の茶碗《ちゃわん》にお茶を注いでいる間に、秒はガサガサと絵の包みをほどいた。

水平線の向こうには、すでに太陽の姿はない。

今まさに力尽きようとしている光が、かすかに空を照らしているだけ。

そして、手前に、並んで立っている二人の少女の上半身が見える。陰になっていて表情はよく見えないが、二人とも手に枯れたバラの花を、一輪ずつ持っている。

動きの少ない、淋《さび》しい絵だった。

景子は、茶碗を載せた盆を手に持ったまま、静かな目でじっとその絵を眺めていた。

「この絵、題名はついているの?」

景子が無表情のまま訊いた。

「はい。『黄昏』というタイトルが付いています。キャンバスの裏に母の字で書いてあるんですが」

秒はキャンバスを裏返して、倫子の字を見せた。

景子はマジックインキで書かれた字を見つめていたが、やがてうっすらと笑った。

「なるほどね。倫子らしいわ。やっぱり私は彼女に憎まれていたわけね」

私たちは驚いて景子を見た。

「憎まれて？」

おうむ返しに杪が尋ねた。

「あ、ううん、何と言ったらいいのかしら。憎まれていたというか、愛されていたというか――ごめんなさい、言葉が悪かったかもしれないわね」

景子は盆をそっと置くと、机にもたれかかって目を閉じた。何とも言えぬ貫禄《かんろく》がある。

もう五十代だろうに、私は彼女にすごく大人の色気を感じた。女として、全然太刀打ちできない。私が彼女の歳になっても、こうはいかないだろう。

女子校の校長だというから、もっと堅苦しい女性を想像していたのだが、景子は驚くほどフランクで率直な女性だった。

「――彼女ね、とても目立っていたわ。きれいな子だったし、近寄りがたい雰囲気があってね。実際、若い女の子なのに、群れようとしなかった。その点では私と主義が一致していたわ。それで、なんとなく一緒にいることが多くなったの。一緒にいても、てんでばらばらのことをしてたけど。正直言って仲がいいとは言いがたかったわね」

景子は机を指先でトントン、と叩《たた》いた。

「けっしてうまは合わなかったわ。むしろ、お互い、やることなすこと癇《かん》にさわって たんじゃないかしら。というのも、私たちは似たものどうしだったから。そのことに気付いてて互いに居心地《いごこち》が悪かったんだわ。

あの子、どこにも属さずに絵を描いてたわ。彼女が絵を描いてることに気が付いたのだって、もう卒業も近かったころよ。美大を受けるっていうんでようやく判《わか》ったわけ。とんだお友達よね」

景子は苦笑いした。ゆっくりと歩いて、椅子《いす》に腰掛けた。

「彼女の家庭の話は聞いてるかしら？　あまり聞いたことはないけど、恵まれてなかったことはたしかだわね。その影響もあったんでしょう、彼女は人の愛し方を知らない人だったわ。人を憎むことを人生の原動力にしてきたのでね。だから、逆に言うと、彼女が憎む対象になれる人というのは、彼女に深く関わることのできる人だったわけ。

私、彼女が絵を描いているというのにずいぶん驚いたの。どんな絵を描くんだろう、何のために描いてるんだろう。そう訊いてみたの、倫子に。今でも忘れられないわ、彼女の返事。

あたしは、あたしが憎む人たちに捧《ささ》げて絵を描いているの。

そのためだけよ。あたしが将来誰かに絵をあげるとすれば、それはあたしが憎む人にだけ。

私には、当時、どうしても理解できなかったわ。彼女がなぜあんなに、いろいろなものに腹を立てていたのか。今でもよく判らないけど」

景子は遠い目をして、ゆったりと話した。その言葉には、なんのてらいも偽りも感じられなかった。彼女が自分の世界に沈み込んでゆくのを感じた。

「でも、彼女には不思議な魅力があったわ。傷つけられると判っていても、寄って行ってしまうような、ね。私なんて、いつも彼女には嫌味ばかり言われていたのに、結局彼女を嫌うことはできなかったわ。それほど私が鈍感だったというのもあるけど、なんといっても、私と倫子は同じ種類の人間だったから。彼女がいろいろなものを『見て』しまうのは知ってたでしょ？」

景子は秒を見た。

秒は頷《うなず》く。

「私もそうだったの。倫子ほどではなかったけどね」

一瞬、景子は私を見たような気がした。気のせい？

それにしても、類は友を呼ぶのだろうか。こんなエキセントリックな人間がぞくぞく登場してくるとは。もしかして、世の中では私みたいな人間は少数派ではないのかもしれない、という気になってくる。

「そのことに対する考え方が、私と倫子では一八〇度違っていたのよ。それが倫子には癪《しゃく》だったようね。私は、子供のころからもう割りきっていたわ。見えるんだから、しようがない。得でも損でもない、ただのありのままに受け止めるしかない、私にはどうすることもできない。倫子は違っていた。自分が目にするものをいちいち解釈しようとしていたわ。自分の見たものに、そして自分自身に意味を欲しがっていた。それらに過敏に反応して、自分で自分の神経をすり減らすのを楽しんでいたのよ、ある意味では。私がそう指摘すると、真っ赤になって怒ったわ。倫子が私のことをなんて呼んでいたと思う？『お月さま』よ」

景子はクスクス笑った。秒は顔を赤らめてうなだれた。

「ああ、あなたが気にする必要はないのよ。倫子、自分の子はきちんと育てたようね。あなたは立派な青年だわ。――そう、割りきってへらっとしてる私がよほど偉そうに見えたらしいの。当時、たまたま二人の知り合いの大学生がスペイン語の授業を取ってててね。スペインでぼうっとしてる人に言う言葉を教えてくれたのよ。『お月さまにでも行ってたの？』って言うんですって。それが倫子には大受けでね、『それってあんたにぴったりだわ』って。

あんたはいっつも、月の裏側に行ってるみたいにたそがれてるわ。なあに、お月さま？　あたしのお月さま。ああ、懐かしいわねえ、よく、あのきれいな皮肉っぽい目でそうあたしを呼んでたの。いったい何年前の話かしら」

景子の目が、少女のように華やいだ。

「倫子はね、誰よりもハッピーエンドを望んでいたのに、誰よりもそれを信じていなかったのよ。彼女に不幸があるとすれば、それだけだわ。素晴らしいご主人と、こんな素晴らしい息子さんを持てたのにね」

景子の目がふっと暗くなった。彼女の中で、何かが閉じた。

ほほえみながらゆっくりと首を振る。

「――ずいぶんひどいことを言ったかしら。でも、正直に話したつもりなの。倫子の話を聞きたいとおっしゃったから――じつは、いろいろ考えたのよ、もっときれいなところだけを選んで話そうかと。でも、あんまり意味のないことだからね。常日頃、生徒たちにもなるべく真実を話すことにしているの。隠したり、嘘《うそ》をついたり、美化したりしても、何の役にも立たない。生徒たちはすぐに嘘を見抜くし、嘘をついたことであたしたちは生徒たちの信用を失うだけ。子供たちはそんなに弱くはないわ、きちんと訓練さえしてやれば、真実に向き合えるものよ。

とにかく、倫子にとって私がなんらかの意味を持つ存在だったことはたしかね。これでも喜んでるのよ、私。こんなに長いこと生きてきて、ものすごくたくさんの時間を仕事に割いて、いろんな人と知り合っても、手のひらの中に残るのはほんの一握りだけ。残るものなんて何もないのかもしれないわ。それがもし憎しみだったとしても、こうして形として手元に残るのはいいものだわ。ありがとう、大事にするわね」

景子の話はおしまいらしかった。

秒と先生が立ち上がりかけた。

「あなた――」

急に、景子が私のほうに顔を向けたので驚いた。

「あなたもそうね、あなたも見えるのでしょう」

やはり、気が付いていたのだ。

「悪いことじゃないのよ、前向きに人生を楽しむことね。私の生徒たちにもいっぱいいるわ、あたしたちは一人じゃないのよ」

彼女はにっこりとほほえんだ。

急に、涙ぐみたいような気持ちになった。自分の抱えている孤独や不安の重さに、今初めて気付かされたような気がした。

「秒さん、いい家庭を作ってちょうだい。お幸せにね――ちょっといいかしら、あなたの幸運を祈らせてくれる？」

景子は笑って、秒の手を握った。

秒がびっくりしたような顔になる。

部屋がしん、とした。

景子はなかなか手を放そうとしなかった。目が、ガラス玉のように透き通っている。

どうしたんだろう？

景子はちょっと首をかしげた。何とも言えぬ奇妙な表情を浮かべている。

ビシッ、という音がした。

部屋がズシンと震動した。地震だ！

私と先生は飛び上がった。

しかし、震動は、その一揺れだけだった。

ホッとして天井を見上げる。

しかし、前を見てぎくっとした。

景子の後ろの、古い書棚の扉にはまったガラスに、いちめんに放射線状のひびが入っていた。暗いガラスの奥に、モザイク状になった景子の後ろ姿がはめ込まれている。

景子は、能面のような顔でじっと秒を見ていたが、ようやく手を放した。

秒は真っ青だった。

「ごめんなさい、久しぶりだったものだから。あらあら、驚かせてしまったわね」

景子は後ろを振り返って、なんでもないことのように笑った。

私たちはあっけに取られた。

「今のは」

秒が恐る恐る言った。

景子は、澄ました顔で肩をすくめた。

「世の中には、いろいろな人がいるものよ」

「私のお月さま――か」

地下鉄の中で、先生が呟いた。

「母は、あだ名をつけるのが好きでしたよ。『私の赤ずきんちゃん』、『私の小鳥さん』、小さい時はいろんな名前で僕を呼んでましたね――やっぱり、母は彼女が好きだったんじゃないですか――もしかすると、母の『嫌い』は『好き』と同義語だったのかもしれないですね。でないと、ちょっとやりきれないなあ――最後まで憎しみの対象として絵を描いていたなんて」

秒は精神的に参っているようだった。

あれは何だったんだろう。あの震動、あのガラスのひび。

校門のところでいつまでも私たちを見送っている景子の姿が印象的だった。

「こんなことを始めるべきではなかったのかもしれない。絵を渡した人たちを傷つけているだけみたいだ」

秒が吐き捨てるように言った。

絵を渡した人たち――それ以外にも、たくさんの人間が動いている。

展覧会会場に火を点《つ》けた人間、私を脅迫する人間。この人たちは、絵を渡した人たちと重なっているのか、それともまったく別の人たちだったのか？ その人たちと高槻倫子との関係は？

秒の沈んだ顔を見ているうちに、十和田景子の顔が浮かんで来た。

彼女、とても変な表情をしていた。

秒に何かを見たのだろうか？

何を？

私には何も見えなかったのに。

先生の顔を見る。

今回の先生は、不気味なくらい静かだ。どこに行っても、まったく口を挟まない。いつもなら、好奇心いっぱいにいろいろ質問するはずなのに。どこか具合でも悪いのかしら？

あたしは、憎んでいる人に絵を贈るの。

英之進は？　彼女は英之進を愛していたのではなかったのか？

あの「曇り空」には、憎しみは込められていなかったのだろうか？

走る地下鉄の中は、激しい轟音《ごうおん》に包まれながらも、とても静かだった。暗闇《くらやみ》の中を、私たちは無言で並んだまま、見えない駅へと運ばれてゆく。


「――当時を知る人たちの間では、英之進と倫子の仲というのは、けっこう噂《うわさ》になってたらしいな」

私の家に向かう道で、先生がポツリと呟《つぶや》いた。

赤いペンキの一件があってからというもの、先生はできるだけ家まで送るようにしてくれていた。

なんとなく緊張する。

「二人で会っているところをあちこちで目撃されている。まあ、彼女を売り出したのは英之進だからな。新進女流画家と、当時すでに日の出の勢いだった青年実業家。噂になるのも無理はない。もっとも、どちらもすでに伴侶《はんりょ》がいたし、互いに宣伝効果を狙《ねら》っていたんじゃないかと言う人もいる。だが、二人はできていたと言う人も多い。英之進は、政財界の有力者だったから、表だって噂する勇気のある人はあまりいなかったみたいだがね」

少なくとも、倫子のほうは英之進を愛していたのだ。

あの、精悍《せいかん》な顔だちの男を。

「先生はいつもどこでそんな話を聞いてくるんですか？」

「俺は、顔だけは広いからな。昔話の好きな人というのはどこにでもいるものさ。今、倫子の最後の一週間の別荘での足取りを調べてるんだが、これがなかなか難しくて」

先生は、独り言のように、斜め上を見てぶつぶつ呟いている。

夏の盛りをすぎて、陽が落ちるのが早くなった。

ついこのあいだまではまだ明るかった時間なのに、今ではもう夕闇が忍び寄っている。

住宅街の影はもう、深くて濃い。

見慣れた風景が目の前に現われる。

そして、私の家が――

影が横切ったような気がした。

お姉ちゃん？

違う、もっと小柄な人影が、庭のほうへ――

「――先生、誰かいるわ、あたしの家に」

思わず囁《ささや》き声で先生の腕をつかんだ。

先生も見たようだ。黙って頷くと、素早く道の端に寄った。

「万由子、一人で家に入るんだ。俺は隠れて後ろから行く」

先生が小さく叫んだ。

私は緊張して頷《うなず》くと、平静を装《よそお》って、いつものように鍵《かぎ》を取り出しながら玄関に近づく。

あっというまに心臓がどきんどきんと激しく打ち始めた。

落ち着け、落ち着け。向こうは庭のほうに行った、すぐに攻撃をしかけてくることはないわ。

家は真っ暗だ。

じっと耳を澄ます。

何の音もしない。でも、誰かが家の裏で息をひそめているのだ。

隣りの家の、開け放した窓の中から、テレビの中で笑う声が響いて来る。

侵入者も、この笑い声を聞いているに違いない。

家を挟んだ二人が、どちらも緊張しながら、このテレビの音を。

生唾《なまつば》を飲み込む。私は、わざと足音高く玄関に近づくと、ガチャガチャとうるさい音を立てて鍵を開けた。

後ろから、身体《からだ》を低くして先生が門の中に入って来たのを素早く確認する。

「明かりを点けてくれ」

小声でそう言い捨てて、先生はそっと庭へ進んでゆく。

私はいつものように、小走りで家中の明かりを点けて回る。

どうしても窓の外や庭のほうに目が行く。

居間の明かりを点けた瞬間、窓の外でサッと丸い頭が引っ込むのが見えた。

やはり、いる！

侵入者がいるのだ。

心臓がもっと激しくドクドク打ち始めた。

膝《ひざ》ががくがくする。

どんな顔をしているのだろう？　何か武器を持っているのだろうか？　私を殺しに来たのだろうか？

警察に電話したほうがいいのかしら？　聞こえてしまうのでは？　それより、先生は大丈夫かしら？

私はきょろきょろと素早く部屋の中を見回した。

武器になりそうなものはないか探したが、たいしたものはなさそうだ。

姉の使い古しの、テニスのラケットが目に入った。

これでも、ないよりはましだ。

私はラケットをつかむと、庭の気配を窺《うかが》った。

何も音がしない。虫の声がするだけ。

抜き足、差し足で窓に近寄る。

足を止めた瞬間、ゾッとした。

壁一枚の向こうに、誰かがじっとしていたのだ。壁を挟んで、三十センチも離れていなかった。

荒い息をする音が聞こえ、地面の小石を踏む音がした。

私は思わず飛び退《の》いた。

「待て！」

先生の声がして、壁の向こうの人間が、ダッと駆け出す気配がした。

気を取り直すと、私も慌《あわ》てて玄関に飛び出す。

黒い塊が、勢いよく飛び出して来たところに、すかさず足を出した。

激しい衝撃が足にかかる。

勢い余って、その人物はもんどり打って玄関の前に投げ出された。

その衝撃に足をとられ、私も一緒にその場に転がった。

「あいたっ」

「万由子、大丈夫かっ」

先生の大声が聞こえた。

痛みに一瞬気が遠くなる。

私の足に引っ掛かって転んだ人物は、もろに膝を打ったらしく、もっと痛そうだった。

苦痛の呻《うめ》き声が漏れてくる。

先生が駆けて来て、玄関の扉をパッと開けた。玄関の明かりが、サッと家の前を照らし出した。

痛みをこらえて、私は顔を上げた。

そこには、見たことのない、まだあどけない、そして驚くほど可愛《かわい》い女の子が倒れており、怒りと怯《おび》えと苦痛の入り混じった顔でこちらを見つめていたのだった。

【第四章】

中には、海を見ずに終わる者もいる

1

わが家のキッチンのテーブルについたまま、少女は黙りこくっていた。

私も先生も、どう扱ったらいいのかとほうにくれる。さっきからこの調子なのである。

「ねえ、嫌な目に遭わされたのは私なのよ。恨めしいのはこっちなんだから。何か文句があるのならさっさと言ってくれる?」

いささかくたびれて、冷蔵庫からウーロン茶のパックを出すと、ジョボジョボとグラスに注いで一息に飲み干した。

少女は強情に口をつぐんでいる。

ほっそりして髪の長い、テレビコマーシャルにでも出て来そうな、今ふうの美少女だ。

この子があんな電話をかけ、魚をばら撒《ま》き、ペンキを撒いたというのだろうか。目の前にしても、なかなか信じられなかった。人は見かけによらないけれど、思いつめるタイプなのかもしれない。それにしても、なんで私がこの子に脅迫されなくてはならないのだろうか？

「――君が誰だか当ててみようか」

腕組みしていた先生が、おもむろに口を開いた。

先生の顔を見る。少女もいぶかしげに顔を上げた。

先生は、まったくの無表情である。

「高槻秒の婚約者だろう」

「どうしてそれを」

少女は思わず口走った。

「ええっ」

まじまじと少女の顔を見た。

この子と秒が？　秒っていくつだったっけ？

「あなた、いくつ？」

思わず尋ねていた。

「二十一です」

まだ子供ではないか。といっても、私と三歳しか違わないのだが。それほど目の前の少女はあどけなく、まだ幼い顔だちをしていた。

「――わたし」

少女は観念したようだった。

「深井十詩子《ふかいとしこ》といいます。十月に秒と結婚する予定です。あたしたち、隣り同士だったの。秒には、小さいころからよくまとわりついて遊んでもらってました。あたし、小さい時から秒のお嫁さんになるのが、夢だったんです」

「あなた、学生？」

「はい。G大で日本画を専攻していて、将来もこの道でやっていくつもりなんです」

秒は才能のある女の子をお嫁さんにしてね。

倫子の言葉がふと思い出された。奥さんも画家かあ。やっぱり秒ってマザー・コンプレックスをひきずってるのかしら。

「あたし、秒のお母さんの絵、嫌いなんです」

まるで心の中を読まれたようで、ちょっとうろたえた。十詩子は目を伏せる。

「あたしが秒に遊んでもらってたころには、もう彼のお母さんはいなかったけれど、彼がすごくお母さんを尊敬してることに、いつも反感を持ってました。単にあたしが嫉妬《しっと》してたっていうのもありますけど。でも、それだけじゃないの。彼のお母さんが、今でも強く彼を支配してるのを感じるからなんです。彼がお母さんの話をする時の表情、判《わか》ります？　何かこう、うっとりしちゃって、魅入られたようでしょう？　彼は、自分では、すごく母親を尊敬しているんだって思ってるけど、あたしはそうじゃないと思うの。秒はね、すごく母親を恐れているんですよ」

十詩子の声が低くなり、目に暗いものがよぎった。

何となく、緊張した。

「あたしたち、婚約してから一緒に住んでるんですけど、あたし、すごくびっくりしたの。最近――とくに、あの展覧会の準備を始めてから、彼、しょっちゅううなされるんです。夜中に獣のような悲鳴を上げて。あんな苦しそうな声、聞いたことないわ。本人は、自分がうなされたのを覚えてないらしいんだけど。きっとお母さんが殺された時の夢を見ているんだわ――あたし、いつも泣いてしまうの。彼があまりにも苦しそうな声を上げるんで。夜中に、秒の顔をじっと見つめてて、彼が眠るのをずっと待っているんです。起こそうかと毎回悩むんだけど、怖くて起こせないの」

十詩子の目にうっすらと涙が浮かんだ。

彼女の感じている不安が、こちらに伝染して来る。

「知ってるでしょう？　秒は、お母さんが殺されたことから立ち直るのにすごく苦労したのよ。あたし、こっそり、秒を診てた先生に会いに行ったことがあるの。ほんとにひどかったんですって。子供がね、自分のそばで何かひどいことが起きた時に、あまりのショックに、それが自分の責任だと思い込むようになることがあるんですって。秒は、その罪の意識が人一倍強くって、それを取り除くのに大変な努力をしたんですって。あの人、ぜったい変よ。あの人って高槻倫子のことですけど」

十詩子の口が歪《ゆが》んだ。

「死んでからも秒を苦しめてるんだわ。あの変な絵。あの絵がよくないのよ。あの絵、気味が悪くないですか？　彼女の怨念《おんねん》が乗り移ってるみたい」

十詩子がいきなり私の顔を見たのでギクリとした。

「それにね、あたし、知ってるの。実際、あの展覧会を始めてから、彼が誰かに脅されるようになったのを」

「えっ」

私と先生は顔を見合わせた。

「それも、あの遺書にある四人に連絡を取ってから。彼はあたしに隠してるけど、差出人の名前のない手紙を受け取った彼の様子がおかしかったんで、こっそり彼が捨てた手紙を見たんです。定規《じょうぎ》を当てたまっすぐな字で、母親の死をほじくりかえすな、お前も同じ目に遭うぞ、って。きっと——きっと、あの四人の中に高槻倫子を殺した犯人がいるんだわ」

ゾッとした。

あのハサミを持った手が、今まで会った三人の中にいるかもしれないというの？

「——ひどいことをしたと思ってます。本当にごめんなさい。でも、自分でもやめられなかったの。あたしからあの絵に関わるのはやめてって言っても、秒は全然聞いてくれないから。一緒にやってる人たちに止めてもらうしかないって思い込んでた。無我夢中でした。怒りますよね、あんなことされたら。ごめんなさい。ほかにどうしていいか判らなかったの。警察に言ってもきっと信じてくれないだろうし、彼に助言をしてくれそうな親戚《しんせき》も思いつかないし」

十詩子はぽろぽろと涙を流した。

私は、やれやれという気分だった。

私の脅迫者の正体が判ったのは一安心だが、新たな脅迫者が現われたとは。

「展覧会会場に火を点《つ》けたのは、君じゃないんだね？」

先生が尋ねた。十詩子は首を横に振った。

「あれは、誓ってあたしじゃありません。でも、あとでいい方法だなと思いましたけど。あんな絵、燃やしちゃえばいいんだわ」

「おいおい」

先生はなだめた。

たしかにそうだな、と私は思った。あの絵がなければ――せめて公開されることがなければ、今回の事件は何も起こらなかっただろう。私があの絵に出会うこともなかったし、高槻秒と知り合うこともなかっただろう。あらためて、いつのまにか遠いところに来ているのに気付き、どこか見えないところで、大きな歯車が回っているような気がしてならなかった。

「このことは、秒には内緒にしとくわ。まさか婚約者がスタッフを脅してるとは思わないでしょうからね」

少女はコクンと頷《うなず》いた。さすがに秒も、私が高槻倫子の生まれ変わりであるとは言っていないようだ。そんなことを知っていたら、今ごろ彼女に殺されていたかもしれない。

しかし、一方で、その一途《いちず》さを羨《うらや》ましく思った。長い時間を一緒にすごすうちに、秒の濃《こま》やかな性格を好ましく思い始めていただけに、ちょっぴり妬《ねた》ましくなったのも否定できない。愚問と知りつつも、ついつい訊《き》いてしまう。

「秒のどこがいいの?」

十詩子は、ちょっとはにかんだ。

「秒は、すごいんです。人の気持ちに同化できるっていうか、人の感情を読み取るのがすごく上手なんです。一緒にいると、あたしのすべてを包み込んでくれてるって感じがするの。彼が同じ部屋にいて、絵を描いている時が最高なんです。彼がいるだけで、とてもリラックスできて、あたしのインスピレーションを増幅してくれて、一緒に絵を描いているような気分になれるんです。あんな人、ほかにいないわ」

ごちそうさまである。訊くんじゃなかった。しかし、心の片隅で何かが引っ掛かった。

あれ、なんだろう——今、何かを感じたんだけど——

「秒に対して、また何か脅迫があるようだったら、気が付いた時点ですぐうちに連絡してくれませんか。万由子にでもいい」

先生がいつになく真剣な表情で十詩子に頼むと、十詩子も真面目《まじめ》な顔で頷いた。

「当時の事件に関する情報は、ごく少ない。一九六九年八月三十一日、午前八時三十分。茨城県大洗《おおあらい》海岸で、高槻倫子、当時三十歳が死亡しているのが発見される。死因は、頸動脈《けいどうみやく》への刺し傷による出血多量。凶器は現場に落ちていた裁縫バサミ。指紋は多すぎて判別できず。母親のそばで高槻秒が泣いていたが、犯行は目撃していない模様。第一発見者は、近くの喫茶店経営者、手塚正明《てづかまさあき》――リストの四人目の人物だね――彼は、高槻家の別荘の管理もしていた。前日の嵐《あらし》で、別荘が壊れていないか様子を見に行って、家がもぬけの空だったのを不審に思って海岸で倫子を発見。死亡時刻はその一時間ほど前だったと思われる。目撃者なし」

先生が、淡々と自分で作ったメモを読み上げていた。

聞いているのは私と俊太郎だ。

「これだけだ。意外と早く捜査は打ち切られている。付近一帯の不審者を洗い出し、関係者のアリバイもしつこく確認してはいるが、俺の印象では、さっさと迷宮入りにしたという感じだね」

先生はポイッとメモを投げ出した。

「というのは」

俊太郎が上目《うわめ》づかいに先生を見る。

「うむ。これにも、英之進の圧力がかかっているような気がするんだ」

「じゃあ、犯人は彼なんですか」

「そうは言ってない」

「でも、そういうことになるじゃないですか。でなきゃなんで」

「リストの四人のアリバイは調べてあったよ。倫子の知り合いという知り合いが徹底的に調べられたんだ。結果は、四人とも不明確。つまり、四人とも家にいたと主張している。証人なし、もしくは家族のみ。誰にでも可能性はあったわけだ。事件は日曜日の早朝だったし、東京から行って帰って来ても、半日もかからない」

「うーん。灰色ですか」

「まあね」

すっかり仕事はお留守で、三人でお茶ばかり飲んでいる。

俊太郎が大真面目な顔で言った。

「四人で共謀してるってことはないでしょうかね」

「推理小説の読みすぎだよ」

「だから、あの絵は四人の殺人者に対する告発なんですよ。彼女は、自分があの四人に殺されることを予想していた。その四人に宛《あ》てて絵を残す。これこそ高槻倫子らしい最高の嫌がらせじゃないですか。そりゃあ、みんな受け取るのを嫌がりますよ。四人にアリバイがないのも、わざと口裏を合わせてあいまいにしてるんじゃないですか？　疑わしきは罰せず。証拠不十分でみんなが無罪になる」

「そこまでして、あの四人が共謀して倫子を殺さなきゃならない理由っていうのは何なんだ」

「それを今から考えます」

気のない先生の返事にも、俊太郎はめげない。

「万由子はやけに浮かない顔をしとるな」

先生が欠伸《あくび》をしながら私の顔を見た。

「はあ、なんだか疲れちゃって。あの展覧会を見に出かけた時は、まさかこんなことになろうとは夢にも思ってなかったのに」

先生と俊太郎も同感らしかった。

「そうだよなあ、そもそも万由子があそこでぶっ倒れなかったら、こんなにたくさんの人間に会うこともなかったんだもんな。いつのまにか忘れてたけど、そうだよな、もともと万由子が高槻倫子の生まれ変わりであるというところからすべてはスタートしていたんだよね。最近は、どう、何か思い出した？」

俊太郎が感心したように頬杖をついた。

「全然。でも、前世の記憶って、だいたい子供のころに持っていて、だんだんなくなっていっちゃうものなんでしょう。この歳《とし》にして初めて思い出したっていうのが不思議よね。あの絵のインパクトがよほど強かったんでしょうね」

私は伸びをした。

十詩子を捕まえてから何日か経《た》っていたが、あれからというもの、彼女はしょっちゅう私に電話してくるのである。

一人っ子で淋《さび》しかったのかもしれないが、毎晩暴力的に時間を奪われていた。

それも、秒が一人でよく出かけるとか、最近一段と夢にうなされるとか、前のように絵を描く時にそばにいてくれない、とか、私にしてみればどうでもいいような話を繰り返し熱心に話すのだった。今となっては、彼女が直情径行型であるというのを、つくづく思い知らされた次第である。

正直言って、少々うんざりしていた。それでなくとも、この年ごろの、こういうお嬢様タイプに見られる、無秩序羅列型の会話というのは、けっこう聞いていてエネルギーを消耗するものだ。

その時、突然、ばしん、という音が響いてハッとした。

音のしたほうを振り返ると、俊太郎がビールを取り出して、乱暴に冷蔵庫の扉を閉めたところだった。

今の音。

今の音をどこかで聞いたことがある。

私は必死に記憶をたどった。

いつだったろう？　そんなに昔の話ではない。

ずっと前に、あの音を聞いた。この事件が始まってから。

ええと、黒と赤。黒と赤のイメージ。焦《こ》げ臭い匂《にお》い——あの匂いは、どこで嗅《か》いだんだろう——

煙と炎。

そうだ！

あの火事の時だ。

展覧会会場の火事の時に、あそこであたしは車のドアが閉まる音を聞いたんだ！

「白い車」

私はポツンと呟《つぶや》いた。

先生が顔を上げる。

「私、白い車を見たわ。あの火事の時に」

「なんで今ごろ急に」

俊太郎がとまどったように言う。

「忘れてたのよ、すっかり。あの時はそれが何なのかよく判《わか》ってなかったの。でも、見たわ、たしかに。車のドアが閉まる音を聞いたのよ。今、俊太郎が乱暴に冷蔵庫のドアを閉めたんで思い出したのよ」

私は興奮してきた。

「海辺よ、海辺だったわ。誰かが車に乗り込んで、慌《あわ》てて走って行ったわ」

「誰が？」

「判らない、よく見えなかった」

「男？　女？」

「判らなかった。でも、一人。一人だけだった」

「犯人かな？　現場から逃げるところだったのかも」

俊太郎が腕組みした。

先生がカリカリと頭を掻《か》いた。

「——じつはさ、事件当日とその数日前に、倫子の別荘付近で不審な白い車を見たっていう情報があったんだよ。事件と関係があったかどうか判らなかったんで、言わなかったんだけど」

「じゃあ、関係あったってことですか、万由子の記憶に残ってるってことは」

「かもしれない。万由子、それを見たのは、あの火事の時というのは本当か？」

「ええ、そうです。あの時です。今まで忘れてたけど」

先生はまた何か考え込んでいる。

このところ、先生はめっきり口数が少ない。どちらかと言えば、話好きな人なのに。どうも、最近の先生の態度は気にかかった。

その晩、高槻秒から、リストの最後の人物である手塚正明を訪ねる日程が決まったという電話があった。

「いよいよ最後ね。たいへんだったわねえ、いろいろと」

ちょっぴり感傷的になる。

電話の向こうに沈黙が落ちた。

「――万由子さん」

「はい？」

「悪かったと思ってます。あなたたちをこんなことに巻き込んで」

「ええ? 何言ってるのよ、今さら。これで目的は果たせたわけでしょ、あたしはあんまり役に立たなかったけど」

秒の口振りがあまりにも真剣だったので、驚いて笑いとばした。

「僕は、悪気はなかったんです。ただ、母のことを知りたいという気持ちだけでここまで来てしまったんです。これだけは信じてください」

「どうしたの、急に」

何となく不安になった。十詩子が私を脅していたのがバレたのかしら?

「いえ、なんでもないんです。これで、母の遺言が果たせると思ったら、なんだか気が抜けちゃって。じゃあ、当日は、浦田先生のところに迎えに行きますから、よろしくお願いしますね。では、おやすみなさい」

秒はちょっとだけ笑ったが、元気がなかった。

受話器を置いたあとも、しばらく受話器を手で押さえていた。

説明のつかない不安が、受話器の中に残っているようだった。

しかし、それよりも、ようやく高槻倫子との関係が終わるという安堵《あんど》感《かん》がじわじわと湧《わ》いてきた。

もうすぐ、私は彼女から解放されようとしているのだ。

2

道は空《す》いていた。

アスファルトは黒く輝き、車はすいすいと単調な風景の中を走った。

天気はよかったが、夏の盛りをとっくにすぎて、どことなく投げやりでそっけなかった。

車中の私たちは、ほとんど無言だった。

それぞれが、窓の外に走り去る風景の中に、自分たちを映してぼんやりと考えていた。

トランクの中で、一枚の絵がガタガタと揺れているのが判る。

バックミラーの中に、やけに静かな秒の目が見えた。

やっぱり私は憎まれていたのねえ。

十和田景子の声がよみがえる。

みんなを憎んでいた倫子。あの繊細で緻密《ちみつ》な描線の一本一本に、憎しみを込めていた倫子。何がそんなに憎かったのだろう？　自分の境遇に？　生い立ちに？

　しかし、彼女は人生の勝者だったはずだ。仕事は成功し、夫に愛され、子供にも恵まれた。にも関わらず、死の一週間前には、前にも増して憎しみを込めた絵を描きなぐっていたのだ。

　判らない。あたしには、彼女の気持ちが判らない。でも、あたしの中には彼女がいるはずなのだ。フロッピーの消されなかった情報のかけらが残っているのだ。

　隣りで先生が居眠りをしている。最近また、徐々に仕事が忙しくなってきたようだ。彼が面白がっているのは承知しているが、ここまでつきあわせるのは気の毒なような気がしていた。その一方で、どうも先生が何か知っていて隠しているような気がしてならなかった。


「――で、先生は事件の真相に近づいたんでしょうね」

　サービスエリアで秒が車を降りた時、私は半ば皮肉で先生に尋ねた。

　先生はチラリと私を見た。私の皮肉に気付いたようだ。

「真相？　そうだな。解くべき謎《なぞ》はいっぱいあるからな」

　先生は身体《からだ》を揺すった。機嫌がいいのか悪いのか判らない。

「なぜ伊東澪子は高槻秒に電話をしたか？　なぜ展覧会会場に火が点《つ》けられたか？なぜ高槻秒が脅迫されるのか？　そもそも、なぜ万由子が高槻倫子の生まれ変わりなのか？」

「なぜと言われても」

私は苦笑した。

今さら、先生がこんなことを言うのを不思議に思った。生まれ変わりだったらいいなと言ったのは先生のはずなのに。

「俺は探してるんだよ、このすべての疑問を解決してくれる答を」

先生の無表情な目に、何か冷たいものがよぎった。

茨城県の大洗海岸から、さらに奥に入る。

岩場の多い、波の高い海で、この辺りまで来ると海水浴場というよりは保養所のほうがメインらしい。

手塚正明は、今もずっと同じ場所で喫茶店を経営しているという。

あと少しで、倫子が亡《な》くなった場所に着くと思うと、だんだん緊張してきた。

フロントガラスの向こうに、子供が絵の具で塗ったような道路がえんえんと続いている。

道路の中心に消えてゆく白い車線。ゲームセンターで見る、カーレースの画面のよう。

私たちの知らないどこかに、いくつかの結末が用意されている。

そのうち、フロントガラスに「GAME　OVER」の文字が浮かんできそうだった。

「母は、ここに来るのをいつも楽しみにしてました」

バックミラーに、秒の沈んだ表情のかけらが見えた。

「『さあ、私の青い鳥に会いに行くわよ』。いつもこう言うんです。こう言う時の母は上機嫌で、僕も一緒にはしゃいでました。最後の年、『青い鳥に会いに行くんでしょ』と僕が先取りして言うと、母は無表情でした。あの時、すでに母の様子は少し変でした。低い声で、『もう、いないわ』。そう答えたんです」

このあいだの電話といい、どうも元気がない。

「――少し後ろを振り返ってみようとしただけなのに、過去に近付くどころか、後ろを向いたままどんどん見たことのない道を運ばれて行くような気がするんです。しかも、その先には母が待っている、そんな気がする。ずっと昔から、僕がその道を走るように決められていたんだなって」

秒は、日に日に運命論者になってゆくようだった。

この事件が、彼になにがしかの影響を与えているのはたしかだった。この数週間で、顔付きまで変わってきたみたいだ。それとも、見知らぬ脅迫者の影に怯《おび》えているのだろうか？

（身体が波に乗って持ち上がる）

目の前に青い波がぐわっと盛り上がってくるのが見え、私は思わずよけようと手を上げた。

次の瞬間、めまいのような感覚。

赤いものがぼとぼとと音をたてて波の上に落ち、どす黒い染《し》みとなって底にゆらゆらと沈んでゆくのが見えた。

赤いものは目の前に噴水のようにあふれ続け、私はすさまじい重力を感じた。

ああ、頭が水の中に沈む！　目の前が青くなる。

（苦しい！　息ができない！　溺《おぼ》れてしまう）

「あそこに見えるのが手塚正明さんの店らしいですね」

秒の声が聞こえ、私は呼吸が楽になったのに気付いた。

溜息《ためいき》が漏れ、額に冷や汗が浮かんでいた。

まだ心臓がどきどきし、目の前が昏《くら》い。

隣りで、ねぼけまなこの先生が目をこすった。

前方のゆるやかなカーブの登りつめたところに、平べったい建物が見えた。辺りにぽつぽつと集落が見え、木立ちの中に別荘らしきものがひっそりと点在している。

全身が硬直した。

なんとも言えぬ、懐《なつ》かしさとおぞましさの入り混じった奇妙な感覚が足のほうから這《は》いのぼってきた。

知っている、知っているわ、この風景。

そこの丘を越えると、櫛《くし》のようにきれいに揃《そろ》った木立ちが、海をさえぎるように立っている。でも、本当の海はもっと先。海は、その木立ちを左に回り込むカーブを越えたところにあるのだ。木立ちの陰に、小学校の木造校舎の屋根が見える。カーブの向こうの石段を降りたところに、もう今は使っていないボート小屋が——

懐かしいという感覚は、底のない憂鬱《ゆううつ》を連れて来る。

私は、重苦しくて甘酸《あまず》っぱい憂鬱がどんどん自分の中に押し寄せて来るのを感じた。車が丘を降り、美しい木立ちと海が目の前に広がるのを見ても、木立ちの奥に木造の小学校が現われたのを見ても、それは当然のことだった。むしろ、自分の記憶が正しいことに、かすかな満足すら覚えていた。何も驚くことはない、私はこの場所をずっと知っているのだから。

丘の上に、シックな青い建物が建っていた。店は風を避けるためか平べったく、木々に囲まれた屋根がカモメのような形に見える。

看板も小さく、店と知らなければ、個人の家だと思ったかもしれない。

「10　TEN」

小さな木の看板には、そう彫られていた。

店内は暗く、大きく壁いっぱいに採った窓の向こうに、ゆるやかな弧をえがいた水平線がせり上がって浮かんでいた。

窓に沿って大きなカウンターがついていて、わけありふうのカップルや、本を読む老人が海に向かって座っており、こちらに背を向けていた。

それは、何となく不思議な風景だった。数人の観客が、いつまでもえんえんと同じシーンの続く映画を観《み》ているように見えた。

その反対側の狭いカウンターの中で、初老の男がコーヒーを淹《い》れていた。

私たちに会釈《えしゃく》すると、無言でコーヒーを勧めた。

白いものが混じった髭《ひげ》の中に、長いこと自営業をやってきた人特有の強さが剝《む》き出しになっていた。矢作英之進や十和田景子とは違って、いかにも風雪と時間に磨り減らされてきたという感じで、無駄なものがいっさいそぎ落とされている。

私たちはぎこちなく挨拶《あいさつ》した。

これまでの例からいって、私たちが歓迎されるべき客なのかどうか自信がなかったからだ。行く先々でこれらの絵が憎しみの証《あかし》であるという話を聞かされてから、自分たちが不幸の使者であるような後ろめたさを感じていたのだ。

ぼってりとした厚いカップに入ったコーヒーはとてもおいしくて、ずっと車に揺られていた身体が目を覚ましたようだった。

「絵を見せてくれ」

低いかすれ声で、手塚正明はそっけなく言った。

紗はもう開き直ったらしく、はい、と言って自分で絵の包みを開け始めた。

私は正明の顔に注目した。

彼は、色あせたデニムのシャツから伸びた、日焼けしてたくましい腕を組んで、絵が現われるのを待っていた。小さい岩が立っているようで、その静かな表情からは何も読み取れない。

これも、夕暮れの浜辺の絵だった。

ただ、絵の左隅に、小さな鳥籠《とりかご》が描かれていた。中に一羽の青い鳥が倒れているのが見える。それだけだ。

青い鳥は、もういないわ。

倫子の青い鳥――なぜ、この絵をこの男に贈るのだろう？

正明は、じっと、身動きもせずにその絵を見つめていた。

相変わらず、何の表情も浮かんでこない。

「ありがたくもらっとくよ。店に飾ろう」

ぼそぼそと呟《つぶや》き、キャンバスを持ち上げると、さっさとカウンターの中にしまった。

私たちはホッとすると同時に、拍子抜けした。

彼は、今までの三人とは違って、自分から倫子の話はしてくれないようだった。
私たちはもじもじした。取り付く島がなかった。
正明はそんな私たちの様子には無頓着《むとんちゃく》に見えたが、おもむろに口を開いた。
「——現場を見ますか?」
正明は跳ね板をギッと上げて、カウンターから出て来ると私たちを無表情な目で見た。
秒が怯《おび》えた顔で頷く。
「ちょっと、店頼むな」
奥で女性の返事する声が聞こえた。
ゆったりとした潮騒《しおさい》が、近付いたり遠ざかったりする。
さっき車の中で思い出した惨劇など、跡形もなかった。
夏草が潮の匂《にお》いのする風に揺れ、明るい陽光の下の海は、美しく潔《いさぎよ》かった。
正明は、うつむき加減に、黙々と私たちの前を歩きはじめた。
店の裏手から、崖《がけ》を目指してすたすたと歩いて行く。私たちは遅れないように従った。

「あれが高槻家の別荘だ。昔はずっと私が管理していた。まあ、風を通したり、ほこりを払ったり、家電製品を動かしてみたり、といった程度だけど」

砂浜からちょっと離れた林の中に、赤い屋根の洋館が見えた。

「――今でも場所はよく覚えている。あそこに、彼女が倒れているのが見えた」

彼は、迷わず砂浜の一点を指差した。

私たちの目も、彼の指先に釘付《くぎづ》けになる。むろん、砂浜は白く輝いていて何もない。

「あの日の前の晩、気の早い台風が近くを通過してね。私は店の周囲を見てから高槻家の見回りに行ったんだ。その日はまだ高槻氏は来ていなくて、親子二人だけだったし、どこか壊れたんじゃないかと思ってね。

家の様子がどことなく変だった。

アトリエの雨戸が閉まってなかったせいで、窓から雨や風が吹き込んでいて中は水浸しだった。カーテンが風で倒したのか、窓際《まどぎわ》のサイドボードの上の罎《びん》がみんな床に落ちて割れているし、嫌な感じがした。家の中は空っぽだった。

私はなんとなく海のほうに向かった。彼女は毎朝必ず浜辺を散歩するのが習慣だったし、嵐《あらし》のあとを面白がって見に行ったんじゃないかと思ったんだ。

たしかに、彼女はいた。

波打ち際に横たわっていた。その傍らで、秒くんが海の中に座り込んでわんわん泣いていた。

大騒ぎになった。ものすごい数の警官が来た。あんなにたくさんの警官を見たのは、あとにも先にもあの時だけだ」

私たちは砂浜の一点を見つめたまま黙り込んだ。

まるで、そこに倒れている倫子の姿が見えるようだった。秒は瞬《まばた》きもせずにその場に立ちすくんでいる。

「最初はすぐに犯人が捕まると思われていた。発見されてからそんなに時間も経《た》っていないし、事件直後に走り去る白い車を見たという人がいたしね。しかし、結局、それ以外の手掛かりがまったく見つからなかったらしい。しまいには警察も焦《あせ》って、彼女を知っているというだけでも、しつこく全部調べられたそうだ。私も徹底的に調べられたよ。第一発見者だったし、私を犯人にしようと思ってた節《ふし》もある。でも、とうとう犯人は見つからなかった」

「彼女が亡《な》くなる前に、誰かが彼女を訪ねて来ませんでしたか？」

先生がそっと尋ねた。

正明は首を小さく左右に振る。

「御覧のとおり、うちと高槻家の別荘には距離がある。高槻氏が別荘を使っている間は、向こうがこちらを呼ばないかぎり、こちらからは近寄らないようにしていたから全然判《わか》らないね」

秒は一人離れて、崖にしゃがみ込んでじっと海を見つめていた。

私たちは無言だった。こうして海を前にしていると、そんな遥《はる》か昔のことを掘り起こしてみてもしょうがないという無力感ばかりが込みあげてきて、何も追及しようという気が起きてこない。

「ただ」

正明がふと思い出したように言った。

「事件当日、変な女が一人やって来てね」

「変な女?」

「厚化粧のイトウとかいう女だ」

伊東澪子だ。

私と先生は顔を見合わせる。

「高槻倫子がどこに行ったか知らないか、なんてとぼけたことを訊《き》く。しかも、酒の匂いをプンプンさせてるときてる。むかっとしてね。今警察にいるよ、誰かに刺し殺されてね。このへんを殺人鬼がうろうろしてるらしい、って言うと、ものすごく動揺してね。異様に怯《おび》えた顔であたふたと帰っちまった。今でもあの滑稽《こっけい》な顔を思い出すよ」

正明は皮肉っぽくクッと笑った。笑ったあとで、急に手でこめかみを押さえた。

「──いやあ、信じられなかったよ。今でも信じられない。夏になると、今でも彼女があそこを散歩しているんじゃないかと、毎朝浜辺に目をやってしまうんだ。

彼女はいつも、波打ち際を一人で歩いていた。片手に黄色いバラを一本持って。

彼女を思い出す時はいつもその姿だね。あまり話をしたことはなかったけど」

正明のいかつい横顔を、潮風が撫《な》でた。

彼はじっと前を見たまま動かない。

話がそこでとぎれた。

秒がよろりと立ち上がり、虚《うつ》ろな顔で正明に深々と頭を下げた。正明も小さく会釈を返した。

私たちが坂を降りて来て振り返ると、崖の上にはまだ彼の姿があった。

海に背を向けた瞬間。

私はまたあの音を聞いた。

バシン、と閉まる車のドア。

白い車。慌《あわ》ただしくかけられるエンジン。

車は走り出す。

しかし、今度は車の中にズッと焦点が絞られてゆくのを感じた。

カメラがアップになるように、すうっと私の目は車の中へと近付いてゆく。

途中からどんどんスローモーションのようになり、視界の境界線に向かって、映像がぼやけて荒れた粒子になっていく。

車の中に人が見え、そこに焦点はずんずんすぼまってゆく。

男——男だ。

男がさっとこちらを振り返るのが見えた。

さらに顔が近付いてくる。

ものすごい形相だ。

剥《む》き出しの歯、充血した目玉。

あれは——あの顔は。

倫子のクロッキーブックにあった顔。
あれは、矢作英之進だ。

「いろいろご迷惑を——ほんとに不愉快な、面倒なことをお願いしてすみませんでした。でも、感謝しています。今度また、あらためてお礼に伺います」

先生のマンションの前で、秒は大きな身体《からだ》を折り曲げて、背中が見えるほど頭を下げた。

私はどきどきしていた。笑顔がひきつるのを感じる。

矢作英之進。

倫子が死んだ時、走り去る車に乗っていた人物。

どうしよう、彼が犯人だったなんて。

私は迷っていた。このことを言うべきかどうか。これで自分が犯人を名指しすることになるのだと思うと、軽はずみに口に出せなかった。

「お役に立てなくてすみません」

私の口から出たのはこれだけだった。

秒は、何か言いたそうに私の顔を見た。しかし、目を伏せるとおじぎをして車に戻って行った。

「結婚式には呼んでくださいよ」

先生が声をかけた。秒が車の中で小さく笑うのが見えた。

なぜか、すまない気持ちで胸がいっぱいになった。

あたしはどうすればいいんだろう、どうすれば？

秒の車は角を曲がり、たちまち見えなくなった。

「いやあ、不思議な事件だったなあ。それとも事件じゃなかったというべきか」

隣りで先生がのんびりと伸びをした。

これで終わったの？　これで？

私は激しく動揺した。

私はずっと、あの矢作英之進の顔を胸に焼き付けたままこれからずっと生きていくのだろうか？　あの恐ろしい形相をしまい込んだまま？

しかし、ここでもし私が彼を告発したとしても、何の証拠もないし、相手はあの大物だ、誰も取り合ってくれないに違いない。むしろ、何を馬鹿《ばか》なことをと言われるのは私だ。今までの経験から、嫌というほどそのことを知っていた。

どうすればいいの、どうすれば？

胃がぎゅうっと締め付けられる。

先生に話すべきだろうか？

そっと先生の顔を窺《うかが》った。

でも、先生は英之進とは古いつきあいだと言っていた。ここで私がこんなことを言い出しても、先生に迷惑をかけるだけなのではないか？

心は乱れに乱れていたが、結局その日は誰にも自分の発見を話すことができなかった。

周りの風景も目に入らないまま、家にたどり着いた。

お湯を沸かしながら、夕刊を広げる。見覚えのある名前に目が吸い寄せられた。

伊東澪子。

ぎくりとする。

なぜ新聞にこの名前が？

私は座り直して新聞に見入った。

それは短い三面記事だった。

「女性画廊経営者が失踪《しっそう》」という見出しで、伊東澪子が十日前からミオ画廊を閉めたまま、行方が判らなくなっているという。絵を取りに来た顧客が気付き、警察に申し出た。彼女の店の周りを、失踪する数日前から怪しい男たちがうろうろしていたことから、何らかの事件に巻き込まれた可能性もあると推測されていた。

なぜ伊東澪子が？

やかんから激しく湯気が上がっていて、慌てて火を止める。

混乱した頭で椅子《いす》に座り込んだ。

伊東澪子から電話がかかって来たんです。絵のタイトルを教えろって。

なぜ彼女は絵のタイトルを知りたがったんだろう？　なぜ彼女が失踪しなければならないのだろう？

ますます頭は混乱する。

突然電話が鳴り、びくっとした。どうも最近、電話には弱い。

「はい」

「もしもし、十詩子です」

またか、とうんざりした。しかし、様子が変だった。

「さっきね、秒に電話がかかって来たの。彼の様子がおかしいの。今、急に出かけて行ったわ」

「えっ」

「ぜったい、脅迫してる奴《やつ》からだわ。あたし、あとをつけるね」

「ちょっと、ちょっと待って」

「万由子さんには言っとこうと思って。見失っちゃうから、もう出るわ」

「待って、やめて」

私は慌てたが、もう電話は切れていた。

夜、もう一度電話が鳴った。

私と姉はごはんを食べ終わって、思いきり行儀の悪い格好でテレビを見ながら居眠りをしているところだった。

姉は、久しぶりに早く帰って来たと思ったら、どうしても炊《た》き込みごはんを食べたくなったのだそうだ。すごい勢いでごはんを作ると、ガツガツとものも言わずに食べて、ビールを流し込むと、テーブルに足を乗せてたちまち眠り込んでしまった。

これじゃあ、オヤジだよなあ、ともの悲しい気持ちでバンソウコウだらけの姉の足の裏を見ながら、私も眠り込んでしまったのである。

姉は、ベルが鳴っていてもビクともしない。私は目をこすって立ち上がると、そっと受話器を取った。また、十詩子かしらん？

「もしもし？」

「あの、夜分《やぶん》恐れ入ります。私、十和田と申しますが、万由子さんをお願いいたします」

「え、十和田さんて、あの、十和田景子さんですか？」

私は耳を疑った。

なぜ彼女が私に電話をして来るのだろう？

「ああ、よかった、いらしたのね。ごめんなさい、いきなり電話をして。今ちょっとよろしいかしら」

「はい？」

わけが判らないまま、頷《うなず》いていた。

「あなたなら判ると思って――このあいだは言えないことがあったのよ――どうしても、男性の前では言いにくかったの」

景子の、深みのある美しい声が耳元で響いた。

「あの絵に描かれていた少女二人――あれは、倫子と私なの」

「え」

絵を思い浮かべてみる。たしかに、手前に女の子が描かれていた。

「覚えているかしら？　二人とも枯れたバラを手に持っていたでしょ？　あれには驚いたわ――ずいぶん、久しぶりに思い出した――『お月さまにでも行ってたの？』という言い回しを教えてくれた大学生――私と倫子はほとんど同時に彼に恋したの。お互い、表に出さない性格でしょう、なかなか激しいものがあったのよ――今となっては懐《なつ》かしい思い出だけど。結果から言えば、私が勝ったわけ、ほんの一時期だけだけど。うちの高校はなかなかロマンチックでね。卒業式のあとの謝恩会に、ステディな彼を呼ぶ習慣があったのよ。卒業式が終わって、校門を出て行く時に、生徒たちの彼氏が花を持って待ってる。これが美しくも残酷な風景なわけ。彼は私にバラの花を渡したの。倫子は真《ま》っ蒼《さお》になってね。私はつかのまの勝利に酔って、有頂天になったわ。でも、しょせん子供のおつきあい、ほんの数カ月で終わったの。彼に誰かほかの女の人が現われたのね。あとで判ったんだけど、それは倫子だったの。彼女は彼に、激しく迫ったらしいわ。今にして思えば、べつに彼が好きだったんじゃなくて、いっときでも彼が私を選んだのが癪《しゃく》だったみたい。彼女は彼を勝ち取ったけど、そのあとやっぱりすぐ駄目になったようね。彼は就職したとたん、社内の女の子と結婚したの。要するに、二人とも枯れた花をもらったわけよ。同じ穴のむじなというやつね――」

私は倫子の執念深さに半ばあきれた。純粋さと呼ぶこともできるだろうが、彼女の行動はむしろ子供のような残酷さだった。不思議な——激しい——そして、どこか淋《さび》しい人だ。

「ごめんなさい、昔話で。でね、大事なのはここからなの。このあいだね、秒さんの手を握った時にね、私、見たのよ。あなたは気が付かなかったかしら？」

「何を？」

「海辺にね、小さな女の子がね、いたわ」

「女の子？　男の子じゃありませんか？」

「ううん、女の子よ。それでね、彼、危険だわ」

「危険？」

「彼についていてあげてほしいの。彼、よく判らないけど、すごく危険な状態にあるような気がするのよ。何か大きくて危険なものが彼に迫っている。誰か、彼についていてあげなくては。小さな女の子。それがきっと何か関係して」

ガツッ、という鈍い音がした。

何の音？

がしゃん、と耳元に受話器が叩《たた》きつけられ、思わず耳を離した。

遠くでドサッ、という何かの崩れる音。

「もしもし？」

私は叫んだ。

「十和田さん？　どうしたんですか？　そこに誰かいるんですか？　もしもし？　十和田さん！」

誰も答えない。しかし、私は遠い受話器の向こうに、ドアを開け放って誰かが走ってゆく音を聞いたような気がした。

3

「一命はとりとめましたが、相変わらず危険な状態です。意識はまだ回復していません。会うなんて、とんでもない。頭蓋骨《ずがいこつ》が陥没してるんですよ。患者にとどめを刺す気ですか、あなたがたは」

夜の救急病院の中は騒然としていた。

次々と横付けされる救急車、小走りに行き交う看護婦たち。

手術を終えたばかりの十和田景子の主治医は、まだ執刀時の迫力を残したままの表情で私たちを睨《にら》みつけた。私たちとは、私と先生、秒と十詩子、そして現場に駆けつけた刑事である。

十和田景子を、時計のはまったブロンズ像で殴りつけた犯人は、逃走中だった。彼女は学校から電話をかけていたらしく、人気《ひとけ》のない学校と住宅街では、目撃者はまだ見つかっていなかった。

「患者のご家族の方は？」

医師は刑事のほうに向き直った。

「福岡にいる娘夫婦に連絡がついて、こっちに向かっている途中です。ご主人は七年前に亡《な》くなっています。着くのは明日の昼になるでしょう」

「じゃあ、今のところわれわれにできることは何もない。彼女の回復を待つのみです。話は家族が着いてからです。お引き取りください。私はこれからまた手術があるんで」

私たちは、慌《あわ》ただしい病院の廊下にぽつんと取り残された。

「ちょっと署に連絡を取ってきますんで、皆さん恐れ入りますが、ここで待っていていただけますか？　もう少しお話を伺いたいんで。すみませんね、お時間は取らせませんから」

刑事という人種と話すのは初めてだったが、二人ともいたって普通のサラリーマンだった。電話をかけに行った年嵩《としかさ》のほうはともかく、こうして並んで座っている若いほうは、郵便局の窓口に座っていても違和感はないだろう。

暗い廊下の、いかにも病院らしい長椅子に、みんなで黙りこくって座っていた。青い非常灯。かすかな消毒用アルコールの匂《にお》い。秒は呆然《ぼうぜん》と座り込んでいる。目は虚《うつ》ろだ。

十詩子が私の腕をつかんだ。

「あたし、彼を見失ってしまったの。どうしても見つからなくて、うろうろして家に帰ったら、もう彼は戻って来てた。問いつめると、いたずら電話だって言い張るのよ。そしたら、先生から電話がかかって来て」

小さく耳元で囁《ささや》く。

大きな目にいっぱい涙をためて、何かを訴えかけるように私を見る。彼女の肩や指先から、寒気のような不安が伝わって来た。

秒さんのそばにいて。彼には危険が近付いてるのよ。

さっき電話で聞いた景子の声。

犯人が動きだしたのだ。矢作英之進が？　まだどうしても実感が湧《わ》かなかったが、現に被害に遭っている人間がいるのだ。この次は秒かもしれないではないか？

「しっかりするのよ、十詩子が彼についていれば大丈夫。彼を一人にしちゃだめよ、いいわね？」

こういう時はどやすにかぎる。

十詩子は、苦しそうに顔を歪《ゆが》めた。全身が細かく震えている。

どうにもやりきれない気分だった。深く息を吸い込んで天井を見上げた。

どこかの部屋から、胸を引き裂くような号泣が聞こえて来た。

さっき、交通事故で運び込まれて来た男の家族だ。

ああ、いやだいやだ。

思わずぎゅうっと目を閉じて、歯をくいしばった。

ほんの一瞬の事故で命を落とす人もいるのに、生きている人を殴って殺そうとするなんて、いったいどういう人間なのだろう。死にたくなくても、無念で死んで行く人だっていっぱいいるのに。

やり場のない悔しさでいっぱいになる。

「ああ、それでは皆さん、署はすぐ近くですので、ちょっとおつきあいいただけますか。ここではその、なんですから。何もありませんが、お茶でも」

年嵩の刑事が戻って来て、何か二人でこそこそ相談していたが、若いほうの刑事がこちらにやって来て頭を下げた。

病院か、警察か。どっちに転んでも、あまり気分はよくなりそうにない。

それにしても、どこまで説明したものだろうか。

私が通報者だから、私と十和田景子の関係を説明しないわけにはいかない。しかし、秒や高槻倫子との関係は？

まさかこんなふうに、警察に関わることになろうとは思いもよらなかった。まともに喋《しゃべ》ったら相手にされないに決まってるし。

打ち合わせするヒマもない。私は秒の顔をチラッと見た。


たしかにその救急病院と警察署は目と鼻の先だった。さぞ行き来する人間が多いに違いない。明かりがこうこうと点《とも》り、ざわざわと人が行き交っている警察署は、むしろさっきまでいた病院よりもよほど人間的に見え、ホッとしたくらいだ。

私たちは丁重に部屋に通された。

そこは、いわゆる取り調べ室ではなかった。

普通の応接室で、シェパードを連れてにっこり不自然にほほえむ婦人警官のポスターが貼《は》ってある。

合板の細長いテーブルの上の、白いビニールのテーブルセンターが、やけに生活臭い。

「すみませんが、手続き上、どうしてもお話を伺わなくてはなりませんのでね。あなたが通報された方ですね？」

年嵩のほうが私の顔を見た。

私は言葉を選んだ。

「はい。私はそちらの高槻秒さんのお母様の絵の展覧会を手伝ってたんですけど、十和田さんはお母様の同級生だったそうで。今度彼女の年譜を作るので、お話を伺っていたんです。さっきも、わざわざ補足したいとお電話をくださって。そうしたら、いきなり電話が切れてしまったんです。かけ直して来るかと思ったら来ないし、不安になって通報したんですけど」

「前からご存じではなかったんですか？」

「ええ。今回初めてお会いしました」

「高槻秒さんは、十和田さんとは面識は」

「私も今回初めてです。母の学生時代のお話を聞かせていただこうと、今月の半ばにアポイントメントを取ったんですが、たいへんよくしていただいて」

秒は、蒼《あお》ざめてはいたが、しっかり私と話を合わせた。

たいしたことは聞かれなかった。実際、私たちは十和田景子に一回しか会っていないのだ。十詩子も、先生も、型どおりの質問を受けただけである。私たちは最初から相手にされていなかったのかもしれない。

それからまもなく、私たちは解放された。

「先生、誰が十和田さんをあんな目に」

もう深夜に近かった。

秒と十詩子を車で帰し、先生と歩きながら尋ねたが、自分で質問しておきながらも私は上《うわ》の空だった。

さっき病院にいた時に、何か変な感じがしたのだ。なんだろう、何かが引っ掛かってたんだけど。

その感じは警察に行ってからも続いていた。

何かを思い出しそうになったのに、思い出せない。

「そういえば、伊東澪子が行方不明になったのを知ってますか？　今日の夕刊に出てたでしょう？　いきなり、リストのうちの二人がこんなことになっちゃって。やっぱり、倫子を殺した犯人が動きだしたんでしょう？」

思わず、英之進のことを口に出しそうになった。

突然、先生がケロリとした顔で振り向いた。

「うん、夕刊は見たよ。大丈夫、彼女は元気さ。ところで、俺、明日はちょっと外出する。一日留守にするから、留守番頼むな」

「ええっ」

驚く私には構わず、先生はさっさと車を拾って私を乗せ、手を振って歩いて行ってしまった。

いったいどういうつもりなのだろう。十和田景子がこんな目に遭い、秒にも危険が迫っているかもしれないのに。しかも、伊東澪子が元気だとは、何を根拠にそんなことを言い出すんだろう？

頭の中はぐちゃぐちゃだった。

もう考える気力もなく、家に帰ると顔も洗わずにベッドに倒れ込んだ。

翌日は、来客もなく、私は一人で書類を整理したり、ワープロをたらたら打ったり、いささか退屈な一日だった。

病院に問い合わせてみたが、十和田景子の容体は変化していないようだった。相変わらず面会謝絶が続いているそうである。

私はぽつねんと部屋の中で座っていた。

先生は、いったいどこに行っているのだろう？

ありとあらゆるものが、目の前に投げ出されたままになっていた。

こんな、後味の悪い幕切れになるとは。

ふと、先生の机の上の写真が目に入った。

リストの四人に贈られた、もしくは贈られるはずだった四枚の絵の写真。秒が預けていったのだ。

私はなんとなく、その写真に手を伸ばした。

高槻倫子の絵。ここからすべては始まったのだ。

写真で見ると、絵の生々しい迫力が拭《ぬぐ》い去られ、冷静に絵の内容を吟味できるような気がした。

写真を手に取ると、ゆっくりと椅子《いす》に腰掛ける。

やっぱり、この中にすべてがあるような気がする。

高槻倫子は起伏の激しい性格だったが、逆に言うと、ストレートであまり隠しごとのできない人間だったようだ。

絵に込められたメッセージはいたって単純。「犬を連れた女」がどういう意味かまだ判《わか》らないが、伊東澪子本人を揶揄《やゆ》したものであることは間違いないし、十和田景子の「黄昏《たそがれ》」もかなり露骨だ。とすると、あとの二枚が問題になってくる。

英之進の「曇り空」は、二人が不倫の関係にあったとすれば、それが揶揄されていると考えるのが自然だが、この絵からは何も読み取れない。それに、目下、英之進は一番犯人らしい人物なのだ。倫子が、自分が殺されることを予期していたとすれば、それが英之進であると気付いていたのではないか？　だったら、彼女の性格から言っても、もっと露骨なメッセージを残してもよさそうなものである。それがなぜ「曇り空」なのだろう？

さらに判らないのは、「晩夏」だ。

正明は、ほとんど倫子と話をしたことはなかったと言っていた。その程度の人物に、なぜ倫子が絵を贈るようなことをしたのだろうか？　逆に言えば、正明は、倫子に絵を贈られるような人物であったということだ。彼女と何らかの重要な関わりがあったということだ。ということはつまり、正明は嘘をついているということになる。

じゃあ、この絵の意味はなんだろう？

その絵をしげしげと眺める。どう見ても、ただの浜辺の絵だ。鳥籠《とりかご》の中に倒れた青い鳥。今年はもう、青い鳥はいないの。倫子の言葉。

私は首を振った。正明の性格や、当時のくわしい事情を知らない私が、この絵を見ただけで何かを引き出せるとは思えなかった。

絵を見ただけで。

絵を見た四人の反応が、次々と目の前に浮かんで来た。

みるみる顔を真っ赤にして激怒した澪子。

しかし、彼女はそのあと秒に電話をして来たのだ。

絵のタイトルを教えて。タイトルを。

彼女も、絵に込められた意味に感づいていたのだろうか？　何か私たちの気が付かない深い意味があるのだと？

英之進。彼の表情は奇妙だった。最初、絵を見るまで彼はびくびくしていた。ところが、絵を見たとたん、安堵《あんど》した顔になった。あれは、なぜ？　あの顔は、予期していたものが絵の中になかったという表情だった。何がなかったんだろう。

矢作英之進。

ふたたび、あの白い車に乗った男の顔がよみがえって来た。

彼が殺したのだ、彼が高槻倫子を。

あのものすごい形相。倫子を殺して去る英之進。

しかし、どうしてもこのあいだ見た英之進と、その男とが重ならないのである。秒に対する愛情あふれる態度といい、もてなし方といい、あれで倫子を殺したのだとすれば、私は本当に人間というものが信じられない。私に彼を告発できるだろうか？

どうもそこまでくると、私の頭では考えが行き詰まってしまう。

姉の友人で、やはり互いに伴侶《はんりょ》がある者どうしで恋に落ちた人がいた。その恋は、とても激しいものだったようだ。障害があるほど燃え上がるというのは本当らしい。すべてを捨てて、二人は一緒になった。子供を相手に渡し、職場を変えた。姉は最初から最後まで女性のほうの相談に乗っていたそうだが、再婚したあとの二人に会ってぞっとしたそうだ。二人はげっそりとやつれ、隠遁者《いんとん》のようだった。一緒に食事をしても、しきりに人目を気にしていた。毎月、多額の慰謝料を払い続けるため、二人の生活はいつまでも楽にならなかった。新しい職場で無理をして、夫は身体《からだ》を壊した。何かが二人をゆっくりと蝕《むしば》んでいた。結局、二人は経済的な負債を抱えたまま、一年でひっそりと別れた。

私は写真を机の上に放り投げた。

考えるのに疲れた私は、写真を投げ出したまま、気分転換に部屋の掃除を始めた。部屋の隅のダンボール箱を開けてみて、倫子のスケッチブックとクロッキーブックを返し忘れていることに気付いた。

ああ、これももういらないんだ。送り返さなくちゃ。ええと、どこかに宅配便の送り状を取っておいたはずなんだけど。

クロッキーブックを取り上げて、パラパラとめくっていた私は、ふとあることに気が付いた。

え？

慌《あわ》てて、机の上に放り投げた写真に手を伸ばす。

もう一度、写真の中の絵を眺める。

だんだん緊張してきた。そうだ、たしかにあの時そう見えたのだ。

きっとそうだわ、きっと。何で今まで気が付かなかったんだろう。

これは、もしかすると――

私はさっと壁の上の時計を見た。その瞬間決心する。

まだ十一時。今日は来客もないだろう。あったってかまうものか。即座に私は行動を開始した。あたふたと部屋を片付け、電気を消して、外に出た。気持ちがはやる。私は転がるように駅へと向かったのだった。

【第五章】海に続く道

1

何かに駆り立てられているようだった。

どうしても確かめたい。

早く、早く。早くたどりつかなくては。

このあいだのドライブの時の爽《さわ》やかな天気とは一転した、どんよりした空模様。空気は肌に粘つくほど蒸し蒸ししていた。

観光シーズンは終わっていたので、電車は空《す》いていた。

四人掛けのボックス席を一人で占領し、じっとりとにじんでくる汗を、時折思い出したように拭《ぬぐ》った。

窓の外の緑がどんどん濃くなってゆく。

平日のこんな時間に、こんなローカル線に乗るなんて、何年ぶりのことだろう。しかも、突然思いたって。こんな手ぶらで、遠くに行くなんて、この先何度もあるだろうか。

なぜかその時、一種の解放感を覚えた。

ふと、膝《ひざ》に乗せた自分の手を見下ろす。両手が空《あ》いている時間なんて、人生にはほとんどない。いつも何か両手いっぱいに荷物を持って遠くへ行くのだ。

あたしの荷物。

窓の外に目をやる。

ひとつは判《わか》った。

しかし、まだ頭の隅に引っ掛かっていることがある。何かを忘れているのだ、何か大切なことを。今回の一連の出来事に関する何かを。

電車の中は静かだった。

ガタンガタンと揺れる音と、風を切る音だけが響いている。

ずっと昔から、ここにこうして電車に揺られていたような気がする。

だんだん空が暗くなってきた。雨が降りそうだ。

雲が重たく黒ずんで、低くたわんでいる。

テレビを長いこと見ている時のような、頭のどこかが麻痺《まひ》するような眠気が襲ってくる。ああ、電車って何て楽ちんなんだろう。こうして座って眠っているだけで、目的地まで運んでくれるなんて。

海が見える瞬間というのは、不思議なものだ。

必ずその予兆がある。何かが開ける気配がする。

窓の外に、灰色の海のかけらが見えた。

海は、鈍く銀色に光って私を迎えた。遠くても、波が荒く泡立っているのが判る。

あそこはもう、秋なのだ。

唐突に電車が減速し、やがて乱暴に止まった。

プシュー、という気の抜けた音がして扉が開く。

気のよさそうな中年男が入って来た。

隣りのボックスに、よっこらしょと腰を降ろす。顔が赤い。手にはカップの日本酒を持っている。よくこんな時間から飲むなあ。

男は見る間にそれを飲み干すと、空の壜《びん》を座席の下に置き、腕組みをしてうつらうつらしはじめた。

それを見ていると、私も眠くなる。

思えば、高槻倫子とお近付きになってからというもの、ろくに眠れない日々が続いている。今日のこの突発的行為にしたって、以前の私には考えられない行動だ。こんなことをしてどうなるというわけではないのだが、とにかくもう一度、倫子が殺されたあの現場に立ってみたかった。自分が何を見るか、試してみたかった。すべてが中途半端《はんぱ》な結末を迎えたこの事件を、これで終わったのだと、自分で言いきかせたかったのだ。

いつのまにか居眠りをしていた。

がたん、と大きく揺れて電車が止まり、はっと目が覚めた。

だみ声のアナウンスを聞いて、慌《あわ》てて立ち上がる。もう、目的地に着いていたのだ。隣りのボックスの男はすでに降りていて、空のボックスに日本酒の匂《にお》いが強く残っていた。

私も続いて駅のホームに降り立つ。

その時だった。

頭の中に、いっぺんにいろんな場面がよみがえった。

ミオ画廊の中、救急病院の廊下、警察の応接室。

激怒する伊東澪子、走りすぎる看護婦、当惑した顔の刑事。

私は棒立ちになった。

そうか、そうだったのか。

後ろで電車が動きだし、ゴトゴトと遠ざかってゆく。

無人のホームを、雨の匂いを含んだ生暖かい風が吹き抜けてゆく。

しばらく呆然《ぼうぜん》としたあとで、私はようやくよろよろと歩きだした。

改札口の駅員が、今ごろ出て来た客を不思議そうに見た。

遠くのほうで、かすかな雷鳴が響いた。

駅を出て、海の方向に向かって歩き始める。ざっ、ざっ、と足の下で、舗装されていない道の石ころが音を立てた。シャツの下の汗が、吹きつける風に冷えて、一瞬身震いした。

ゆるやかな坂の上に、このあいだ見た手塚正明の店がうずくまっている。

しかし、後ろにある空は、このあいだとはまったく違っていた。どんよりと薄暗く渦を巻き、不機嫌な顔を見せている。高槻倫子の絵のようだ。彼女はこんな天気の時に、あの海の絵を描いたのに違いない。

事件当日の前の晩は、嵐《あらし》だった。

そう、嵐だった。だから、誰も気付かなかったのだ。

電車を降りた時にひらめいた事柄を、私は順番に、丁寧に、思い浮かべていった。

これでつじつまが合う。だから、あの絵だったんだ。

興奮はやがて醒《さ》めた。

私はただ、黙々と坂を登って行った。天気が悪くなってきたせいか、辺りにはまるで人の気配がない。この世に私ひとりきりのようだ。

急に、子供のころに読んだ話を思い出した。

ある高名な指揮者が指揮したオーケストラの演奏を吹き込んだレコードを聴いた子供たちが、異常な反応を示すことが判る。突然興奮し、泣き叫び、失神したり乱暴になったりするのだ。

驚いた親たちが、子供たちはレコードの特定の一曲のみに反応していることに気付いて、その曲を指揮した指揮者を訪ねる。

指揮者が明かしたのは不思議な話だった。

その曲は、死者の国の湖に浮かんでいる白鳥をテーマにした曲なのだが、彼はどうしても死者の国のイメージが浮かばない。指揮ができなくなるまでに苦悩した彼は、思い余って毒薬を飲む。

彼はひととき、生と死の境をさまよう。

その時、彼は闇《やみ》の中に、草がぼうぼうに生えた丘を見るのだ。

茫漠《ぼうばく》とした、薄暗い空間の中にそびえる巨大な丘。

その丘の上に、一軒の家が立っている。

彼は自分でも気付かぬうちに、徐々にその家に近付いて行く。

彼はどうしても、その家を訪ねなくてはならないのだ。

ようやく家にたどり着き、扉を叩《たた》いた瞬間に、彼は蘇生《そせい》する。

息を吹き返した彼は、その丘のイメージを思い浮かべながらその曲を指揮する。

それが、例のレコードだったのだ。

そこは、誰もが生まれる前に通過する丘だった。

子供たちは、自分が生まれる前の記憶を刺激されていたのである。

話はこれだけなのであるが、今こうしてゆっくりと坂を登って行くと、まるでこの丘と手塚正明の店が、その生と死の境界線にある風景のような気がしてくるのだった。

いつまでもたどり着けないように思われたが、ようやく店の入り口が近付いてきた。

店の全景を目の前にして、私は自分の考えたことが正しいのを悟った。

中をさりげなく窺《うかが》う。

天気が悪いせいもあって、誰もお客がいなかった。

私が入って行くと、手塚正明がすぐに気付いた。

「ああ、このあいだの」

怪訝《けげん》そうな表情だ。私は頭を下げた。

「こんにちは。すみません、いきなり。どうしてもあの絵をもう一度見たかったものですから」

正明は、つ、と顔をそむけた。

「あれからばたばたしててね。まだ額をつけてない。今日は、大きな低気圧が通過するそうだ。もう店を閉めようと思ってたんだがね」

明らかに迷惑そうだった。全身で私を拒絶していた。

私はじいっと彼の顔を見た。

「額を買う気はないし、絵を飾るつもりもないんでしょう」

ぎくりとしたように、正明は私を見た。

窓の外の海は、水平線がぼやけていた。灰色に濁った画面が揺れている。店の上を、ひときわ強い風が吹き抜けるガタガタという音がした。

「――あんた、誰だ？」

正明が蒼《あお》ざめた顔で呟《つぶや》いた。

「高槻倫子の知り合いよ」

私にも判らなかった。倫子？　あたし？

正明が怯《おび》えた表情で一歩引いた。

「これは、あたしの独り言です。あたしの、ただの思いつき。あの絵と、彼女のスケッチブックを見ていて、ふと思いついただけなの。誰を告発しようとも、誰を責めようとも思わない。あたしはただここで、独り言を言っているだけ。判ります？」

正明がかすかに頷いた。

私は店の中をゆっくり歩いて行った。

灰色の大画面が広がっている。海の上を渡る風が見えるようだった。

「――私の知り合いにね、互いに家庭があるのに愛し合ってしまった人たちがいたんです。私ね、素朴な疑問を持ったの。どちらも家庭がある人たちって、どうやって連絡を取り合うんだろうって。その二人の場合、女性のほうはご主人の事務所で働いていたし、お互いの家族は知り合いだったたし、どちらかが連絡を取ればバレてしまう。彼らがどうしていたかと言うと、二人が馴染《なじ》みにしていた店を中継点にしていたの。店の主人が二人に協力してくれて、二人はその店に電話をして、会う約束をしていたそうよ。二人とも働いていたので、昼間は喫茶店で、夜は遅くまでお酒を飲めるようなところ。あまり混まなくて、必ず主人が電話に出てくれるところ——主人の口が固くて、しかも干渉しないところ——」

振り返らなくても、正明の顔色が変わっているのが判った。

「失礼ですが、この店もぴったりじゃありません？　どちらも結婚していた高槻倫子と矢作英之進が、連絡を取るのには。わざわざ東京からこんな遠いところを中継点にしているとは誰も思わないでしょう——倫子のスケッチブックには、英之進と連絡が取れた日には印が付けてありました。最初はバツ印だと思ってたんだけど、あれはローマ数字のXだったんだわ。数字の10、TEN。それはこの店の名前ですよね」

私は、自分の口からすらすらと言葉が流れ出るのを、他人事《ひとごと》のように聞いていた。

「倫子の青い鳥というのは、この店のことだったんですね」

窓の外はいよいよ暗くなってきた。

「私、最初にこの店に来た時に、青い鳥を見ました。倫子も同じものを見ていた。この店の屋根――周りの木立ちと地形のせいで、ちょうど屋根がカモメの形に見える。今日もそのことを確かめました。青く塗られた屋根の青いカモメ。それが彼女の青い鳥。でも、青い鳥は鳥籠《とりかご》の中で死んでいる。中継点だったこの店が、中継を拒むようになったから」

正明は、カウンターの中に入ると、ストンと腰を降ろした。

「彼女はあなたに絵を贈った――つまり、あなたが中継を拒んだことを強く恨んでいた。それほど、英之進を愛していたんですね。でなければ、彼女があなたに絵を贈るはずがないですもの。彼女が絵を贈った。これだけでもそれが判るわ」

正明は、石のような表情を崩さなかった。

無表情に、じっと前を見たままだ。

「――だったらどうだというんだ。それで私が責められるのかね？」

その言葉は投げやりだった。私は小さく笑った。

「だから最初に言ったでしょう、独り言だって。誰かを告発しようというわけじゃないんです。ただ、知りたいだけなの」

私は窓の側のカウンターに腰掛けた。がらんとした店内は、私たち二人だけ。ガラス一枚の向こうでは、不穏な風が吹き荒れている。

「――最初は冗談だった。ただのお遊びだった。私たちの秘密の隠れ家《が》にしましょう、なんて言って。わざわざ東京から、ここに電話して連絡取るなんて、ロマンチックじゃないかって。私だって、ちょっと痛快だった。今をときめく有名人たちのプライベートなつきあいに加われるんだから。ずいぶん忠実に連絡係を務めたものだ。夜中に、英之進やその友人たちが押しかけて来て、ろうそくの明かりだけで、ここで真夜中のパーティーをやったこともあった。倫子が別荘に来ていた時は、夜中にこっそり抜け出して来てそれに加わったりしてね。二人はとても格好よく見えた。輝いていた。なんて似合いの二人だろう、なんて運命的な組み合わせなんだろう。私はその二人をつないでいることに酔っていた。得意になっていた。でも、倫子は本気だった。英之進も、一時は本気だったと思う。だが、倫子のほうがのめりこんでいくにつれ、これはマズイと思い始めたらしい。実際、彼の連絡はだんだん疎遠《そえん》になっていった。彼の気持ちが冷めていくのとは反対に、倫子はますます英之進に執着していくようになった」

正明の声は、淡々としていた。

「二人の連絡係を務めているのがだんだんつらくなってきた。英之進の心はどんどん離れていく、倫子は疑い深くなり、ヒステリックになっていく。しまいには、彼女は、私がわざと連絡を取らないのだと思い込んでいた。私が英之進に嫉妬《しっと》しているのだと、事あるごとに激しく私をなじるようになった」

それは、ある程度は真実だったのだろう。

正明は、黄色いバラを持って海辺を散歩する彼女に憧《あこが》れていたのだ。

「彼女がここに来た最後の夏。私は彼女に言った。もう、今までのように橋渡しはできないと。ここに来ればゆっくり英之進と会えて、よりを戻せると思っていた彼女は激怒した。なだめようとしたが、無駄だった。それ以来、私を完全に無視するようになって、一度も会っていないが、相当イライラしていたことは間違いない。子供に八つ当たりしていて、秒が哀れだった。それが、まさかあんなことになるとは」

「誰が倫子の家を訪ねて来たか判《わか》らないと言っていたのも嘘《うそ》？」

そこで初めて、正明は顔を少し歪《ゆが》めた。

「本当は、事件の前日に英之進が訪ねて来た。彼は、完全に倫子と手を切るつもりでここに来たらしい。私に彼女の様子を訊《き》くと、彼女の家に向かった。私は心配になって、あとでこっそり見に行った。嵐が来る前に、倫子が、車で出て行く英之進を、凄《すご》い形相でののしっているのを見た」

じゃあ、その時は、まだ倫子は生きていたのだ。

英之進は犯人ではなかったのか？

私は首をひねった。しかし、あとでこっそり戻って来たのかもしれない。嵐の中だったら、車の音も聞こえないだろうし、周囲の人たちも家の中に引きこもっていただろう。誰も気が付かなかっただけなのかもしれない。

「それが、倫子を見た最後だった。あとは、このあいだ話したとおりだ」

「彼女を殺したのは、誰だと思います？」

私は最後に訊いてみた。

正明は、もとの無骨な表情に戻って首を振る。

「判らない。考えたくもない。きっと、通り魔だったんだろう」

彼は顔をそむけた。それ以上喋《しゃべ》る気はなさそうだった。

私は短く礼を言うと、店を出た。


頭の中は空っぽだった。

何の感情も起こってこない。

ただゆっくりと道を歩いていた。

地面を伝って、遠くの雷鳴がゴロゴロと響いて来る。

雷がさっきよりも近付いているようだ。こんな吹きさらしの場所を歩いているのは危険だ。早く切り上げよう。

心持ち足を速め、木立ちの中の一本道に入る。

木立ちの向こうに、木造の小学校の校舎が見える。

ふと、倫子の別荘を見る気になった。何か思い出すかもしれない。

風が出てきた。

小学校もしんと静まり返っている。この時間で、授業が終わっているのだろうか。

それとも、ひょっとして、天気が悪くなりそうだからみんな早く帰されてしまったとか。

本当に、ここには誰もいないのかもしれない。私一人がここを歩いている――。

私は奇妙な気分で、ひたひたと道をたどり続けた。

なだらかな斜面の、ひっそりした林の中にその家はあった。

あまり自己主張をしない、それこそ隠れ家のような家だ。

しばらく心を無にしてその家を眺めていたが、何も浮かんで来ない。

もう忘れてしまっているのかしら。

家の周りを歩いてみることにした。

がっしりとした造り。太く黒い木材を組み、壁はスペインふうに、白い漆喰《しっくい》をわざと粗く塗り固めてあった。

裏手に回ると、あとから建て増しした部分らしく、まだ真新しい建物があった。

四角い箱のよう。部屋にしては奇妙だ。何の建物だろう？

建物に近付こうとした時、足元の草むらの中に、女物のサンダルが片っぽ落ちているのに気付いた。若い子が履くデザインだ。まだ、新しい。

何気なくドアノブを回すと、回った。

重いドアが開く。中は薄暗い。

闇《やみ》に目が慣れるまで、少しぼんやりと眺めていると、入り口の近くに何かが転がしてあるのに気がついた。

何だろう？

その何かが、かすかに動き、呻《うめ》き声を上げた。思わずあとずさる。

誰かが倒れているのだ。若い女の子――

「十詩子！」

そう叫んだとたん、背中に人の気配を感じた。

振り返ろうとした瞬間、目の前に火花が散った。

「——万由子さん、万由子さん！」

遠くで私を呼ぶ声がした。

私は深い眠りの底にあったが、ずっと上のほうがわずかに明るくなっていて、そちらのほうから声がするのだった。やっと、久しぶりにゆっくり眠れたのに、邪魔しないで。

「万由子さん」

強い重力に身体が沈んでいたが、ようやく少しずつ浮き上がり始める。

何かの冷たい感触に、意識が戻って来た。

それと同時に、ずきずきする痛みが全身を貫いた。

なあに、この痛みは。頭が痛い。がんがんする。何かにぶつかったのかしら？

殴られた。

そうだ、誰かに殴られたんだ。手塚正明の店に行って、高槻倫子の別荘に行って、

女の子のサンダルを見つけて——

目が開いた。まぶたを上げるのがつらい。

辺りは薄暗く、カビ臭い空気にむっとする。

どこだ、ここは？

起き上がろうとして、自分の身体《からだ》が不自由になっていることに気付いた。

腕を、後ろで鉄のパイプに縛り付けられているのだ。

自分の状態に愕然《がくぜん》とする。

必死に自分の置かれている状況を把握しようと、痛む頭で辺りを見回す。

ようやく目が慣れてきて、隣りに十詩子がいるのに気付いた。彼女も私と同じ状態だ。

「ここはどこ？」

口の中の苦い味に顔をしかめながら、自分たちを囲んでいる四角いコンクリートの壁を見上げた。何かの底にいるようだ。

「ダイビング用のプール。秒が一時ダイビングに凝って、何年か前に作ったの」

十詩子がげっそりした声で囁《ささや》いた。彼女はもっと長くこの場所にいたらしく、憔悴《しょうすい》が激しい。よくは見えないが、泣き腫《は》らしたような顔だ。

「あなたは、いつからここに？」

「お昼すぎから。昨夜、秒と一緒にここに来たんだけど、朝起きたら秒がいなくなっていたの。びっくりしてあちこち探し回ってたら、林の中で誰かに殴られたの」

「秒は？」

「判らない」

十詩子はしゃくりあげた。

「もうだめ、もうだめよ」

「泣いちゃだめ、体力を消耗するだけよ」

鋭く叱《しか》りつけたが、こっちが泣きたかった。

じわじわと状況が飲み込めてくる。

なんて——なんて馬鹿《ばか》だったんだろう！　私は完全に、自分で自分の首を絞めてしまったのだ！

大声で叫びだしたくなる。

私はたった一人でここに来てしまった！　なぜ誰かと一緒に来なかったんだろう！

私は誰にも行き先を告げずに、こんなところにやって来てしまったのだ。なぜ事務所にメモだけでも残して来なかったんだろう。一人で舞い上がって、ほいほいここまで来てしまった。それどころか、私が今まで発見したもののことも誰にも話していない。私がここに、何のために来たかということを、誰が理解できるだろう？

こんな人気《ひとけ》のないところにのこのこ一人でやって来て、片付けてくださいと言わんばかりではないか。馬鹿だ、本当に馬鹿だ。

お姉ちゃんが心配して騒ぎだすのは、おそらく私が帰らないということがはっきりする明日の朝からだろう。それから、ここに来たと判るまで、どのくらいかかる？ここの駅や手塚正明の店までたどり着くのに、どのくらい？　駅員は私の顔を覚えているかしら？　この平凡な顔、いたってありふれたシャツとスカートの女の子。一人でしばらく、ホームでぼうっとしてた子だと気が付いてくれるだろうか？

——もし、手塚正明が犯人だったら？

突然、その考えが頭に浮かぶ。

彼は、密《ひそ》かに憧れていた倫子にさんざんののしられて逆上していた。その怒りがおさまらずに、彼女を——

もしそうだとしたら、きっと彼は、私が店に来たことを否定するだろう。店には誰も客がいなかったし、私は途中で誰にも会わなかった。私があの店に行った痕跡《こんせき》は何もない。

こんな時期はずれの別荘に近寄る人は誰もいない。ここで叫んでも、外には全然聞こえないだろう。しかも、まずいことに、外は雨が降っているらしい。雷の音が、分厚いコンクリートの壁の向こうに響いている。こんな天候では、ますます誰も外に出ないに違いない。

考えれば考えるほど、危機的な状況にあった。あまりの絶望に気が遠くなりそうなのと戦うのが精一杯で、誰かが入って来るのに気付くのが一瞬遅れた。

「誰？」

鋭く叫んだつもりだったが、すでに私の声は弱々しかった。

ここからは見えないが、たしかにプールの上に人の気配がする。

十詩子が怯《おび》えた顔で身を縮める。

私は必死に首を伸ばすが、むろん何も見えない。

キュッ、キュッ、という、何かを回す音がした。

一瞬の間があって、やがてザアーッという激しい音が天井にこだました。

冷たい水しぶきが顔をかすめ、背中に冷たいものが走るのを感じた。

誰かが蛇口を開け、プールに水を入れ始めたのだ。

プールの底に、私たちが縛り付けられているのを知っていて。

声も出なかった。文字どおり目の前が真っ暗になった。

たちまち、ピチャリと足元に水が寄せて来る。十詩子が全身を硬直させる。

栓は？　栓はどこなの？　排水口の栓を抜けば——血眼《ちまなこ》になってプールの底を見回したが、どうあがいても届くことのない、私たちの対角線上に、しっかり閉まった金属の栓が見えた。足を伸ばしてみても、果てしなく遠い。

激しい水の音が恐怖に拍車をかける。

いったい何分もつのだろう？　十分？　二十分？

まさか、そんな馬鹿な。私はここで死ぬの？　誰にも気付かれないまま、ここで十詩子と溺《おぼ》れ死ぬの？

全身に恐怖がはじけた。理性的なもの、私の中でバランスを保っていたものが、一瞬のうちに沸騰《ふっとう》して、私の中から干上がっていった。

溺れて死ぬのだけは嫌よね。溺れて死ぬのってとっても苦しいんだって。どうせ死ぬのなら一瞬のうちに、気が付かないうちに死にたいわよねえ。誰かが大声で話し合っている。そういうのって悲惨じゃない？　溺れて死ぬなんて。**とても苦しいのよ。**

めちゃめちゃに身体を動かして、縛られた腕をはずそうとした。お願い、はずれて、どちらか一つだけでいいの、ほんとうよ、ほかには何も望まないわ、宝石や車をくれなくてもいいの、私はこれだけで。しかし、ビニールテープで幾重にもしっかり巻き付けられた腕はビクともしない。テープから手を抜こうと、獣のような叫び声をあげて引っ張るが、手が締め付けられて指先が冷たくなるだけで、身体はまったく上にも動かない。

頭が痛い、手が痛い、身体じゅうが痛い、いたい。

いつのまにか足が冷たくなっていた。

水位が上がって、スカートに水がしみ込んできたのだ。

私と十詩子は、プールに付いた鉄の梯子《はしご》の両側に並んで縛り付けられていたので、互いのテープを噛《か》むことすらもできない。二人で半狂乱に身体を動かしたが、互いに恐怖を増幅しあうだけで、完全にパニックに陥っていた。

いやだ！　こんなところで死ぬのはいやだあ！

かすれた声で、喉《のど》に力を込めて泣き叫んだ。叫び続けていないと、そのままどうにかなってしまいそうだった。

何も悪いことはしていないのに。ただ、絵を見ただけ。あの絵を見に行っただけ。ハガキを貰《もら》って、出かけて行っただけ。倫子は海辺で死んだ。波打ち際《ぎわ》に倒れて。だからあんたも溺れて死ぬのよ。倫子と同じようにね。嘘《うそ》だ、嘘だ、こんなことが起きるはずがない。あたしが死ぬなんてこと、起きるはずがない。大声で悲鳴を上げれば、次はあたしのベッドで目が覚める。お姉ちゃんの「おはよ」という声が聞こえる――

倫子は私を殺したいのか？

冗談じゃないわ、なんであんたの絵を見ただけでこんな目に遭うの？　あたしに何の恨みがあるのよ？　彼女はハッピーエンドを信じていないの、ふたたび生まれ変わってやり直すの。今度こそ失敗しないから、今度は大丈夫だから。この次も生まれ変われる。万由子はちょっと失敗だったわ、またやり直さなくちゃね。生まれ変わって過《あや》ちを繰り返したら？　次は大丈夫よ、さあ、早く生まれ変わって新しい人生をやり直すのよ。早く、次の人生を。この次の、素晴らしい人生を！

私は暗い部屋の中で、水音にかき消されながら悲鳴を上げ続ける。

水が腰まで上がって来た。

身体が重い。力が抜けてくる。十詩子はいつのまにか動かなくなった。私は一人で死ぬ。最後の最後まで苦しんで、長く苦しみぬいて、たった一人で。自分に対する哀れみのあまり、気が遠くなってゆく。


丘の上をさまよっている。

気が付くと、手に指揮棒を持っている。

へんだな、あたし音楽も3だったはずなのに。

ふと、それは自分の勘違いだったことに気付く。何言ってるの、私は世界的な指揮者なのよ。あの素晴らしい曲を、これから演奏しなければならないのだ。

ここはどこ？

なんだか暗い。上下左右がはっきりしていないみたい。

歩いていても、頭が上から引っ張られるみたい。

前方の草むらの中に、大きなテーブルが見えた。誰かが座って手をぐるぐる回している。

あ、お姉ちゃんだ。お姉ちゃんがパスタを作ってる。銀色の機械のレバーを回すたびに、緑色のパスタがどんどん出て来る。あたし、知ってるよ、これホウレン草のパスタでしょう？

お姉ちゃんの脇《わき》には、小さな女の子が二人座ってる。ああ、小さいころのお姉ちゃんとあたしだわ。よかったね、おいしいパスタが出て来て。あたし、指揮をしなくっちゃ。のんびりしてはいられないわ。

どんどん歩き続ける。身体がゴムまりになったようだ。一足ごとに、身体はバウンドしながら宙に浮き、ぽおんぽおんとび跳ねながら前に進むので、バランスを取るのがたいへんだ。

丘の上に、小さな家が見える。

ああ、あそこだわ。あそこに行けばいいんだ。私はとび跳ねながら、その家に近付いて行く。窓から明かりが漏れていた。そっと中を覗き込む。あれ。

高槻倫子と、秒と、十詩子が楽しそうに話をしている。

ええっ、いつのまに三人とも仲よくなったの？　あたしは仲間はずれなの？

くやしくなって、中に入ろうとしたが、ドアはビクとも動かない。窓ガラスを破ろうとしても、ガラスは丈夫で傷一つつかない。中の三人は私に気付き、恥ずかしそうな顔になる。ごめんね、僕たち仲直りしちゃったんだ。秒が頭を掻《か》いた。そうなの、あたしたち仲直りしたの。高槻倫子がにっこりと笑う。輝くような笑顔に圧倒される。なんてきれいな笑顔なの！

気が付くと、まだ生きていた。

身体が冷たくて重い。水は首まであった。口元に十詩子の髪の毛が浮かんでいた。彼女は目を閉じ、ぐったりとして動かない。ムンクの絵のように。

「十詩子！　十詩子！」

すっかりしわがれた声で呼んでみるが、反応はない。

ぎゅっと目をつむる。ああ、気が付くんじゃなかった！　鋭い後悔の念が口の中を苦くした。これから苦しい思いをするんだ。暗い天井を見上げる。じわじわと水が顎《あご》まで上がって来る。水の重さに、自分の存在すべてが押し潰《つぶ》されようとしていた。なんで。なんであたしが。怒りと悔しさと絶望で、目の前が赤くなった。死にゆく獣の最後の咆哮《ほうこう》のような金切り声が、自分の口からほとばしるのを感じた。死にたくない！

――ドンドンドン、と激しく扉を叩《たた》く音がした。

はっとして上を見上げる。見上げた拍子に、頭がガツンと梯子にぶつかって鋭い痛みが走った。頭の中がはっきりする。

夢ではない。水の音でも、嵐《あらし》の音でもない。

誰かが扉を開けようとしているのだ。

ガチャガチャとせわしない鍵《かぎ》の音がする。扉が開くまでの時間が恐ろしく長い。

お願い、間に合って！　間に合ってよ！

水がすぐ、すぐそこまで来ている。相変わらず、水のほとばしるスピードはまったく衰えを見せていない。

ガチャン、と扉が開き、ゴーッという雨と風の入り混じった激しい音が吹き込む。

「万由子！」

そのすさまじい音をも遮るような大きな声がして、私は泣きたくなった。

「先生」

泣き声で叫ぼうとしたとたん、ごぼっ、と水が口の中に流れ込んだ。

先生の大きな頭の影がプールの上から覗《のぞ》く。

「止めて、水、止めて」

水を吐き出しながら叫んだ私の声が聞こえたかどうかは判《わか》らないが、隣りに顔を出した杪が素早く動くのが見え、ようやく水の音がやんだ。

嵐の音が激しく続いていたが、私には恐ろしく静かに思えた。

私と十詩子は、身体《からだ》に力が入らず、長いことかかってプールの上に引き上げられた。

身体は冷えきっており、全身の震えが止まらない。

助け上げた十詩子は、話しかけても反応しない。何度かほっぺたをひっぱたくと、ようやく瞳《ひとみ》に動きが見えた。

「先生、どうしてここが」

やっと声が戻ってきて、震え声で先生を見上げた。皮膚の感覚がようやく復活してきたものの、寒くて寒くてたまらない。

ふと、隣りの秒の顔を見て驚く。頭にぐるぐる包帯を巻いているではないか。

「どうしたの、その頭」

秒はためらった。

「今朝早く、中年の男の電話に呼び出されて、海岸に行ったんです。そうしたら、誰かに崖《がけ》から突き落とされて。僕も、先生に見つけてもらったんです」

思わず先生の顔を見る。

みんなを殺そうとした。

先生は無言だった。今まで見たこともないような、奇妙な表情を浮かべている。

私は先生が何か言ってくれるのを待ったが、先生の表情は変わらなかった。

やがて、先生は秒の肩を叩くと、おもむろに口を開いた。

「秒くん、別荘の部屋を暖めて、二人を風呂《ふろ》に入れさせてくれよ。もうすぐここに、俺の呼んだお客さんが来ることになっているんでね。お客さんを迎える準備をしなくっちゃ」

2

ますます雨足は強くなっていた。

窓ガラスを見ていると、激しい水しぶきが、粒ではなく面となって打ちつけているのが判る。

お風呂に入って服を乾燥機で乾かしているあいだ、バスローブをはおってコーヒーを飲んでいると、あまりの安堵《あんど》にとろりと眠くなってくる。ほんの一時間前には、冷たい水の中で溺れかかっていたのだから、えらい違いだ。

十詩子はようやく表情が戻ってきたものの、やはり一言《ひとこと》も喋《しゃべ》らない。ソファにもたれてぼんやりとコーヒーカップを見つめている。

秒も、傷が痛むのか、十詩子と少し離れて黙りこくって同じソファに座っている。

高槻家の別荘は、かなり古いものの、こざっぱりとして感じのいい家であった。調度品も倫子の趣味か、シンプルでいいものがさりげなく置かれている。かつての日本人が憧《あこが》れていた外国のような家。照明も、低い場所に間接的に光が当たるよう配置されており、自然とゆったりした雰囲気が漂う。こんなことがなければ、ここで寛《くつろ》ぐこともなかったのだろうと思うと変な気分だ。

このまま何も考えずに、ぐっすり眠ってしまいたい。

極限状態に長いことさらされていた反動か、今はひたすら眠たかった。

先生は、さっきから玄関をうろうろしている。

「客が来る」と言ったのを聞き流していたが、どうやら本当らしい。こんな時間に、こんなところへやって来る物好きはいったい誰だろう?

玄関の旧式のベルが、すごく大きな音を立て、部屋のみんなが顔を向けた。

ドアが開き、ごうっと雨風が吹き込んだ。

現われたのは、雨合羽《あまがっぱ》を着た手塚正明である。一瞬、身がまえた。

彼は、犯人ではないのだろうか?

先生に軽く会釈《えしやく》すると、雨合羽を脱いで、ナップザックから缶詰やタッパーウエアを取り出し始めた。私たちに、食料と飲み物を持って来てくれたようだ。

ちらりと私に目を向けたが、彼は何も言わずにキッチンに立った。私たちがとんでもない目に遭ったのを、先生から聞いているようである。

がらんとした居間に響くのは、外で荒れ狂う風雨の音と、正明がチャーハンを作る音だけだ。誰も、何も喋らない。

いったい、先生は何をしようとしているんだろう？　先生が言っていたお客というのは、手塚正明のこと？

「いやあ、おいしそうだなあ」

妙に明るい声で、先生がみんなにお皿を配り始めた。こいつは怪しい。先生が、この甲高い声を出すのは、何かを企《たくら》んでいる時だ。

みんな疲れきっていた。せっかく正明が作ってくれたチャーハンを食べるのもつらそうだ。正明は、部屋の隅の木の椅子《いす》に座り込んでじっと煙草《たばこ》を吸っている。

何を待っているのだろう？

呆然《ぼうぜん》としていたみんなも、だんだん疑問に思ってきたようだ。秒も、チラチラと先生や正明を見ている。

「――先生、私、眠ってもいいですか？」

思わず大欠伸《あくび》をしてしまい、慌《あわ》てて尋ねた。秒や十詩子も、上と下のまぶたがくっつきそうだった。

「いや、もうちょっと待ってくれ。もう一人来たら、話を始めるから」

先生は明るい声で、きっぱりとそう言った。

もう一人来たら？

「え、まだ誰かいらっしゃるんですか」

「うん。そろそろ来るはずだ。万由子、もう一度コーヒーを沸かしてくれないかな?」

「はい」

必死に眠気を振り払いながら立ち上がる。

それからしばらく、さらに無言の時間が続いた。コーヒーがコポコポおいしそうな声を立てていたが、誰もおかわりを頼まなかった。私は雨の音を聞きながら、いつしかうとうとしていた。

バタン、という音を聞いたような気がした。

ベルが耳障りな音で大きく鳴り響き、みんなが飛び起きた。

先生が素早く立ち上がり、ドアを開けにゆく。

ふたたびザアッと風の吹き込む音がした。

私ははっとした。

一瞬扉の陰になって判らなかったが、矢作英之進が入って来たのである。

自分で車を飛ばして来たらしい。身体が雨に濡《ぬ》れているが、いつものように圧倒的な存在感を持って部屋に入って来た。たちまち部屋の空気が覚醒《かくせい》したようになる。

彼は素早く正明に目をやり、二人のあいだにぎこちない会釈が交わされた。

「——久しぶりだな、泰山」

英之進が、先生に向かってニヤリと笑った。彼の全身から、何か冷たい湯気のようなものが、ゆらゆらと立ちのぼっているようだった。先生は何も言わずに頭を下げる。

「こんなところまで呼び出すからには、さぞかし面白い話が聞けるんだろうな」

英之進の声には、柔らかだが抑えた凄味《すごみ》があった。

「はい、おそらくあなたにはとても興味深い話だと思いますよ」

先生はまったく動じない。上機嫌で甲高い声を上げる。

私は慌てて、みんなにコーヒーを注いで回った。

やはり居眠りをしていた秒と十詩子も、目をこすりこすり身体を起こす。

正明も立ち上がると、椅子をこちらに向けた。

「——まあ、夜も更《ふ》けてきましたし、外はおあつらえ向きの嵐ですし、しんみりと話をするにはなかなかいい場面だと思います。そろそろ、お互いに知っていることを教え合ってもいいんじゃないかと思って。みんな限界に来てますしね」

先生は、あの不思議な声で唐突に話を始めた。いきなり、大学の教室のような雰囲気になってしまう。

「そうそう、はじめに言っておかなくちゃ。伊東澪子から、矢作さんに伝言があります。もう二度と、一切ご迷惑はかけません、って」

先生は何気なく言った。

矢作英之進の顔が凍りつく。

みんなはきょとんとして顔を見合わせる。

伊東澪子は行方不明なのではなかったか？　先生はどこで彼女に会ったのだろう？

「――君はあの女に会ったのかね？」

ゆっくりと無表情のまま、英之進が訊《き》いた。先生はコクンと頷《うなず》く。

「ええ。ちっとばかり探すのに手間取りましたがね。彼女、死ぬほど怯《おび》えてましたよ。矢作さんが許してくれさえすれば、すぐにでも画廊に戻りたいって話してました」

英之進は鼻で笑った。初めて見る、とても冷たい笑顔だった。

「そりゃあ怯えるだろう。馬鹿なことを考えるからだ」

「たしかに。矢作さんを脅そうとするなんて、非常に愚かなことでしたよね」

脅す？　伊東澪子が矢作英之進を？

じゃあ、やっぱり澪子は、英之進が倫子を殺すところを見ていたのだ。きっと、それをネタに英之進を──」

「──私、判ったんです。なぜ澪子が『犬を連れた女』だったのか」

自分でも意識しないうちに、私は話し始めていた。みんなの視線がこちらに集中する。

「先生、覚えてますか？　最初に伊東澪子の画廊に行った時、とんでもないお香が焚《た》いてあったのを？　ものすごい匂《にお》いがしてましたよね。おまけに、秒さんが緊張して、テーブルの上に置いてあったオーデコロンの罎《びん》を倒してしまった。ますますとんでもない匂いになって、鼻がひん曲がってしまうかと思ったくらいなのに、彼女、全然平気な顔をしていたわ。しかも、そのあと。私が渡したイチゴの包みに顔を近づけて、何て言ったか覚えてます？『まあ、何かしら、お菓子？』って言ったんですよ」

そうだったのだ。手に持っていても、鼻まで香って来るほどのイチゴの匂いを、彼女は顔まで近づけても判らなかったのだ。

「彼女は嗅覚《きゆうかく》がなかったんですね。倫子はそのことに気が付いてたんです。私、警察で、警察犬の写ってるポスターを見て気が付いたの。犬は嗅覚の鋭い動物。犬でも連れて歩いてればちょうどいいんじゃない、あんたの鼻の代わりに。倫子は澪子の肉体的な欠陥を皮肉った。だから澪子はあんなに怒ったんですね。澪子はそのことを他人に隠していたに違いない。あの時だって、いつも最高のものを味わうには、五感を鋭くしなくっちゃ、って偉そうに言ってましたもの」

そのことに気付いたことで、私はさらに別のことに気が付いたのだ。

「伊東澪子が、昔から嗅覚が欠落していたのだとすると——もう一つ、別のことに気が付いたんです。事件の当日、手塚さんは、あとから澪子がやって来たと言ってましたね。お酒の匂いをプンプンさせて来た、って」

手塚正明が、ぎくっとしたように顔を上げた。

「その時も、きっと彼女はお酒を飲んで来たわけじゃなかったと思うんです。自分が酒臭いことにも気付いてなかったでしょう。——手塚さん、思い出してくれますか？事件の前の晩に嵐が来て、倫子のアトリエの窓のそばにあったサイドボードの上の壜が倒れて割れてたって言いましたよね。それ、何の壜でしたか？」

正明はハッとした表情になった。

必死に考えていたが、やがて目を見開いて、口をぱくぱくさせる。

病院のアルコールの匂い。電車の中に残っていた日本酒の匂い。

「——そうだ、ブランデーの壜だ。私はスピリッツ類に目がないんで、こんな高い酒がいっぱい、なんてもったいない、って思ったんだ」

正明は私の顔を見て言った。私は頷く。

「澪子はあの日、真っ先に倫子の家を訪ねたんでしょうね。目的は何か判《わか》らないけど。彼女のことだから、無断で家の中に入り込んで、アトリエの中をうろうろしてたに違いない。その時、風で壜の位置が動いていたのかもしれないし、彼女、壜を割ってしまったんですよ。それで、服にお酒がかかったんだわ。そのあとで、いかにも初めてここに来たかのように装《よそお》って、手塚さんの店を訪ねた。で、判らないのは、彼女はアトリエで何かを見たのに違いないと思うんだけど」

「うん、そこまでは正解だ」

先生が腕組みをして、生徒の意見を聞くように目を閉じていた。

「彼女が何を見たのかが判らないんです」

誰も答えない。

何だろう？　やはり、英之進が倫子を殺すところだろうか？

「ひょっとして」

秒が呟《つぶや》いた。

「あのメモじゃないですか？　母の遺言のメモ。彼女はきっと、母のアトリエであのメモを見たんだ。だから、あんなにしつこく僕に遺言の内容を聞いたんですよ」

先生も、英之進も、正明も、じっと黙りこくっている。

三人とも顔が蒼白《そうはく》だ。どうしたんだろう？　三人の顔を見比べる。

やがて、先生が決心したように言った。

「――もう、ここまで判ってしまったのだから、今さら隠しきれないでしょう。みんなそれぞれ苦しんだんですから、真実を話したほうがお互いのためだと思うんですがね」

先生が怒ったように、鋭い目でみんなを見回した。

ぴくりとも動かなかった英之進が、かすかに頷いて、椅子に深く身体を沈めた。

真実？

遠いところ、おそらく海の上を、激しい風が暴れ回っている音が聞こえる。

「伊東澪子は、たしかにその時、倫子の残したあのメモを見た」

先生が、低い声で話し始めた。

「そして、彼女はその内容をかすかに覚えていた。だから、その内容を確かめようと思って、秒に電話した。ところが、彼女は秒が答えた遺言の内容と、自分が覚えていた遺言の内容が違っていることに気が付いた。メモの一部が書き換えられていたんだ」

「メモの一部、というと」

「絵のタイトルさ」

「タイトル」

私はオウム返しに呟いた。

「――英之進に贈られるはずの、絵のタイトルが変わっていたんだ」

沈黙が落ちた。

英之進は椅子に深く身体を沈め、両手の指を組んだままじっと目を閉じている。

「じゃあ、『曇り空』ではなくて」

秒が言った。

「そう。それで、濤子は、これで英之進をゆすれる、と確信したんだ。彼女の財政状況は切迫していた。両親の財産はとっくに食い潰《つぶ》していたし、本業のほうも成功しているとは言い難かったからね。だが、彼女は甘かった。自分のゆすった相手がどんな人間か、よく判っていなかったらしい。ねえ、矢作さん？　あなたにしてみれば、簡単なことでしょう。あんな画廊を潰したり、濤子一人を跡形もなく消してしまうことぐらい。おまけに、彼女の話は自分の記憶だけが頼りで、何の証拠もなかった。結局、澪子は脅し返されたんですな。怪しい男たちを画廊の近辺でうろうろさせただけで、澪子は震え上がってしまった。彼女は殺されると思い込んで、すたこら逃げ出した。私はたいへんでしたよ、矢作グループの息のかかっていないホテルを、しらみつぶしに探したんですから」

先生の外出は、そのためだったのだ。

「ふん、あの女がいなくなった翌日には、どのホテルの何号室にいるか、とっくに判っていたよ」

英之進は吐き捨てるように呟いた。

「――あのメモを書き換えたのは、あなたですね」

先生は、くるりと手塚正明に向き直った。

みるみるうちに、正明は青くなった。堅い岩のような顔に、弱々しさが浮かんでくる。

「――あれは、とっさの思いつきだった」

消え入りそうな声で正明は目を伏せた。

「倫子を見つけて、彼女の家から警察に通報しようと電話に手を伸ばした時、あのメモが目に入ったんだ。読んだ瞬間、すぐにそれが何を意味するのか気が付いた。まずいと思った。吹き込んだ雨のせいで、メモの字が消えかかっていたのと、偶然にもすぐそばにあの『曇り空』の絵が裏返しに立て掛けてあって、キャンバスの裏の倫子の字で書かれたタイトルが目に入ったんで、パッと思いついたんだ」

「本当は、何の絵だったんですか」

私は勢い込んで尋ねた。

「あの展覧会を思い出してごらん。あの中にあったんだ」

先生が諭すように言った。

あの展覧会——たくさんの海の絵。とても、それぞれの絵のタイトルなんか覚えていない。私は首を左右に振った。

「似たような絵がいっぱいあって、とてもじゃないけど、絵の題名までは」

「最初に、童話の絵があっただろう。彼女の出世作。矢作英之進に見出《みいだ》された、彼女の代表的なモチーフ。あの中の一枚だったのさ。何があった？　眠り姫、幸福の王子、そして白雪姫。本当は、『曇り空』ではなくて『白雪姫』だったんだ」

そういえば、あった。

白雪姫の死に嘆き悲しむ七人の小人たち。それを見つめるお妃《きさき》をアップにした不気味な絵が。

しかし、私にはまだよく話が飲み込めていなかった。

正明が口を開いた。

「――雨で、『姫』の字がほとんど消えかかっていた。不揃《ふぞろ》いにバラバラと書かれていたのが幸いした。彼女の字は乱暴で特徴があるし、大きさも間隔もまちまちで、真似《まね》するのは簡単だった。『雪』の下に『ム』を付けてしまえば、『白雪』が『曇』の字に充分見えた。あとは消えた『姫』の代わりに『り空』と付ければ、『曇り空』になってしまう」

「どうして白雪姫を？」

私はまだ判らなかった。

先生はボリボリと頭を掻いた。

「どんな話だか覚えてるか？　その出だしはたいていこうだ――白雪姫が生まれた時、彼女があまりにも美しかったので、お妃は白雪姫を妬《ねた》ましく思いました。――白雪姫というのは、妬みのあまりに自分の子を殺してしまう母親の話だ。そういう話の絵を、倫子は二重の意味を込めて、秒の本当の父親である英之進に贈りつけようとしていたのさ」

一瞬、聞きまちがえたのかと思った。

しかし、先生も、英之進も、正明も、じっとうつむいて黙り込んでいる。

秒も、十詩子もあっけに取られたままだ。どう反応していいのか判らないらしい。

そりゃあそうだろう、突然何の前触れもなく、じつの父親を知らされたのだから。

英之進のオフィスを訪ねた時のことが、ふと頭をよぎった。

あの懐《なつ》かしそうな顔。秒を見る時の愛情あふれる日。

君も技術者なら判るだろう、秒くん？　あれも、今にして思えば、ＡＶ機器のエンジニアだった自分の血が流れているのだから、という意味だったのだろうか？

みんなの注意は英之進に向かい、彼の言葉を待つ形になった。

彼も充分そのことを承知していたらしいが、なかなか話しださなかった。

しかし、とうとう彼は口を開いた。

「――彼女に夢中だった。あのエキセントリックな部分も、最初のうちはたまらなく魅力的だった。彼女も私を愛してくれ、そりゃあ楽しかった。

秒が私の子供だと打ち明けられた時は驚いたが、彼女に高槻氏の子供として育てるから心配しないで、と言われてホッとした。でも、私が思うに、高槻氏も薄々感づい

ていたんじゃないかと思う。最初はショックだったが、日に日に秒が可愛《かわい》くなってい
った。ところが、倫子はそれを嫌がった。私が秒に愛情を示すと、彼女は目を吊《つ》り上
げて怒るんだ。

子供なんてどうでもいいでしょ、二人だけで楽しみましょうよ。矢作英之進ともあ
ろうものが、目尻《めじり》を下げて子供と遊んでるところなんて見られたものじゃないわ。

彼女は、平凡な恋愛や家族というものを激しく嫌っていた。自分の境遇に憎しみや
コンプレックスを持っていたんだろう。自分は特別なのだ、特別な女で特別な恋愛を
しているのだと思いたがった。彼女はどんどんヒステリックになっていった。恐ろし
くなった。そのうちに、秒に露骨に嫉妬《しっと》するようになった。今まで自分に注がれてい
た愛情が、この子に取られていると本気で思うようになったんだ。そういうふうにし
かとれない彼女は、ある意味ではまだ子供だった。その時まで、私は彼女のそういう
面に気が付かなかった。倫子の秒を見る目つきが、だんだん自分のライバルを見る女
の目つきに変わっていくのを見て、私はゾッとした。このままではとんでもないこと
になる、と思った。倫子と秒を閉鎖的な場所に置いておくのは危険だと思った。

それで、あの事件の前の晩、ここに来て彼女に言い渡したんだ。

君とは別れる。秒は私の子としてきちんと認知するから引き取らせろ、と。

あの時、無理やりにでも秒を連れ出してしまえばよかったんだ。そうすれば、あんなことにはならなかったのに。今まで何度後悔したことか」

英之進の端整な顔が歪《ゆが》んだ。

頭が混乱する。ひょっとして、英之進は、犯人ではなかったの？　私が見た白い車は？

先生の顔を見たが、先生は相変わらずのポーカーフェイスである。


その時である。

三たび、玄関で大きなベルの音がした。

もうそのベルが鳴ることはないと思っていた私たちはいっせいにドアのほうを振り返った。

怪訝《けげん》そうな顔で、互いの顔を見合わせる。

また、来客が？　今ごろ、いったい誰が？

「おお、よかった、いよいよ最後の客が着いたぞ」

先生だけは機嫌よく席を立ってドアに駆け寄ってゆく。

ドアが開き、誰かが入って来た。私たちの目は、そちらに吸い寄せられた。

3

私は自分の目を疑った。

そこには信じられない人物が立っていたのだ。

「お姉ちゃん」

姉の万佐子がレインコートを濡らし、蒼《あお》ざめた顔で立っていた。

私には目を向けず、堅い表情のまま先生を見て頷《うなず》く。

「どうしてここに」

めちゃめちゃに混乱していた。なぜこんなところに、姉がやって来るのか？　姉は何も知らないはずなのに。どうして先生と話をしているの？

しかし、先生の言う最後の客というのは、たしかに姉のことらしい。

姉は緊張した顔で、私たちの顔を一人一人見ていった。みんな初対面のはずだ。

異様な雰囲気が漂う。

「おっと、ご紹介が遅れてすみません。彼女は、古橋万佐子さん。そちらにいる古橋万由子さんのお姉さんです」

先生が、何喰わぬ顔でみんなに姉を紹介した。みんな、あっけに取られた表情で、ぎこちなく会釈《えしゃく》する。

「万佐子さん、そこに掛けてください。今から説明するところです」

姉は頷き、コートを脱ぐと、頽《くずお》れるようにソファの端に座り込んだ。

先生は私たちに向き直った。

「――私がこの事件に関わるようになったのは、ここにいる古橋万由子嬢が、高槻倫子の生まれ変わりである、という前提があったからです」

英之進と正明、そして十詩子が、驚いたように私を見るのを感じた。

私は犯罪者のように、思わず目をそらした。

「たしかに彼女は、倫子の描いた海の絵をすべて記憶しており、彼女の死の状況をも、よく記憶していた。彼女は高槻倫子の生まれ変わりらしく見える」

そこで先生は言葉を切った。

私のほうを振り返ると、穏やかに話しかける。

「――俺が最初に不思議に思ったのは、俺の家で鉛筆を回していた時さ。ほら、サルのイモ洗い文化の伝播《でんぱ》の話をしただろう？　あの話をした時に、この話は何かに似ているな、と思ったんだ。なんだろう？　何に似ているんだろう？　本当は知らないはずのことを、最初から知っている。

万由子に似ているんだ。もっと言えば、生まれ変わりという現象にね。万由子はたしかに勘のいい娘だが、まったく自分の接したことのない人間に対して反応することはない。それで、逆に考えてみたんだ。もしも、万由子が高槻倫子の生まれ変わりではなかったとしたら、なぜ万由子は高槻倫子の記憶を持っているんだろう？

さらに。生まれ変わりという現象に興味を持っている俺としては、学術的な疑問もあったんだな。前世で変死した人間は、たいてい自分を死に至らしめたものに対して、潜在的な恐怖を持っている。もし万由子が本当に高槻倫子の生まれ変わりであるならば、なぜ前世であんなむごい死に方をし、絵に激しい反応を示したのに、万由子はハサミが怖くないんだろう？　そんなふうに考えてみることにしたんだ」

突然、自分のほうに話が振って来られたのでびっくりしていた。

なんで今さらこんな話を持ち出すんだろう。

——そもそも、なぜ万由子が高槻倫子の生まれ変わりなのか。

そういえば、先生はこのあいだあんなことを言っていたっけ。これが、今先生の話していることなの?

「――そんなふうに考え始めた時に、万由子が話していたことをふと思い出したんだ。私の家では、ハサミに全部きちんとカバーが付いているし、刃物への恐怖を感じたことは今までなかった、ってね。この話を思い出したあとで、別の話も思い出した。彼女の家には、新種のキッチン用品がいっぱいあるそうだ。強力なフードカッターにパスタ製造機。ミキサーに皮剝《かわむ》き器。たいていの家庭では、ハサミなんて引き出しに剝き出しのまま入っている。小さい子供でもいるのならともかく、ハサミの一本一本にまでカバーが付いているのはかなり神経質だ。しかも、フードカッターやパスタ製造機、ミキサーというのは、どれも自分で物を切らなくてすむ道具だ。もしかすると、万由子の家で、ハサミにカバーを付けたり、フードカッターを買い込んだりしている人間は、ハサミや刃物が怖いのではないか?」

私は思わず姉の顔を見た。

「そう思いついてから、俺は万由子のお姉さんのことを考えるようになった。お姉さんは子供のころ身体《からだ》が弱くて、よく熱を出してうわごとを言っているのを、万由子はいつも隣りでじっと聞いていたそうだな。その時に、万由子はお姉さんの言ったこと、お姉さんの記憶していたことを覚えてしまったのではないか? 彼女が繰り返しうなされ、頭の中でイメージしていた記憶が、万由子に伝わって万由子の記憶にしまい込まれたのではないか？　そう疑ってみた。だから、お姉さんに電話して、調べてもらったんだ。二十五年前の事件当日、彼女がどこにいたかってね」

先生は姉に顔を向けた。

姉は、真っ青な顔をして、瞬《まばた》きもせずに座っていた。

今や、部屋の全員が姉の顔を見つめていた。

姉は緊張した低い声で話し始めた。

「――先生に言われたとおり、さっきまだ明るいうちに、この辺りをゆっくり歩いてみたんです。あそこの小学校です、あそこに遊びに来ていました。母の療養に一緒について来た時に。――当時は、まだ経済的に余裕のあった父が、このへんの家を夏ごとに借りていたの。すっかり思い出しました。万由子もきっと古いアルバムで、ここで撮《と》った母と私の写真を見てるはずです」

姉は顔を上げた。まっすぐ前を見ていたが、私たちを見てはいなかった。

「――私も、ずうっと忘れていました。

母は私がもの心ついたころから入退院を繰り返していましたので、私も母の具合の悪いのにはすっかり慣れっこになっていたんです。

でも、あの夏の母は、ずいぶん体調がよかった。療養に来ても、元気にしていました。それで、ほかにすることもないし、もともと得意だったのになかなかする機会のなかった裁縫をする気になったみたいです。毎日鼻歌を歌いながら、私のワンピースを縫ってくれました。今でも覚えてます、ピンクの水玉のワンピース。私はずっと母にくっついて、母がじょきじょき器用に布切りバサミを使うのを眺めていたんです。

退屈すると、あの小学校に行って、近所の子供に遊んでもらいました。

ある日、近くの別荘の子と知り合いになりました。

髪がちょっと長くて、オーバーオールのジーンズを穿《は》いた男の子でした」

チラリと砂の顔を見る。何の表情も浮かんでいない。床の一点を見つめたままだ。

「――名前は知りませんでした。何回か、彼と遊びました。

ある日、彼がこう言いました。

僕のお母さんは、毎日黄色いバラの花を活《い》けるんだ。でも、ハサミがなまくらでよく切れない、って怒ってるんだ。

彼は本当に困っているようでした。なまくらなハサミというのは、とっても困るものなんだ。

翌日、私は母の布切りバサミを持ち出しました。母のハサミは、とにかくよく切れたんです。母の手は小さいし、小さめの布切りバサミで彼の手にもちょうどいいだろう。彼のお母さんも、あんまり切れるハサミだから驚くんじゃないかしら。そう思って。

私はそのハサミを彼に渡しました。彼はとっても喜んで、そのハサミをジーンズの胸のポケットに入れたんです」

姉はちょっと言葉を切った。周りにいる私たちなど、目に入っていないようだ。だんだん嫌な予感がしてきた。姉の話の行き着くところに。

「――その晩、ひどい嵐《あらし》になりました。季節はずれの、気の早い台風が沖を通過したんです。母は急に容体が悪くなりました。人がばたばたやって来て、母につきっきりになって、私は部屋の隅でぽつんとしていました。翌朝、急に東京に戻ることになったんです。

あのハサミを返してもらわなくちゃ。

私は一晩じゅう、そのことばかり考えていました。

翌朝、嵐がおさまってから、早起きして彼の家に向かいました。

その途中、彼の手を引いて、彼の母親が海のほうへ歩いて行くのが遠くに見えました。

「私はあとを追いかけたんです」

姉の目は夢心地だった。

その目を見ていると、姉の少女時代がよみがえってきて、私も吸い込まれそうになった。

嵐のすぎ去った朝。木切れや漂着物で汚れた浜辺。

遠くに小さく見える母と子のシルエット。それを目で追う小さな女の子。

「ふたたび二人を見つけた時、彼の母親が海の中にかがみ込んでいるのが目に入ったんです。その時は、彼女が何をしていたのか判《わか》らなかったけれど、今は判ります」

姉はぐっと目を見開いた。

「海の中に押し倒した子供の首を絞めていたんです」

部屋の中がシーンとなった。

しつこく嵐の音が響いていたが、部屋の中は恐ろしく静かだった。

「何が起こっているのか判らずに私はぽかんとその光景を見ていました。すると、海の中から子供の手が飛び出したんです。手にはあのハサミを持っていました。私が貸した、あの布切りバサミを。そして、あっというまに、手をこう振り上げて」

姉は無意識のうちに、手を高く差し上げた。

その時、唐突に幼いころの記憶がよみがえった。

昔はよく、姉と取っ組み合いの喧嘩《けんか》をしたものだが、姉はなぜか必ず私を殴る時に、腕を高く振り上げて私の首をぶつのである。

考えてみれば、ぶたれる場所はいつも同じだった。私の首筋の、アザのあるところだ。

一度、たて笛でここを殴られたことがあって、あまりの痛みに気絶しそうになったことがある。その時の姉の顔は、とても怖かった。

姉は、急に動きを止めると、ぱたりと手を膝《ひざ》の上に落とし、身体を折って頭を抱えた。

秒は、今やぶるぶると全身を震わせていた。

流れる冷や汗を拭《ぬぐ》おうともしない。

先生が、低い声で言った。

「――君は、いつ思い出したんだ？　俺が思うに、あの展覧会を始めるころから、君は徐々に記憶を取り戻していたんだね。そのころから、君は悪夢にうなされるようになったそうだから。君を治療した先生は、君の悪夢を、君が母親を守ることのできなかったための罪の意識だと勘違いして、君の殺人の記憶を封じてしまった。まさか、本当に君が母親を殺してしまったとは誰も思わなかったんだ。君自身も治療を受けたことですっかり忘れてしまっていたんだ。君のせいじゃないと言い聞かせられ続けてきたんだから」

そうか――じゃあ、あの時十和田景子が見た「小さな女の子」というのは、当時の姉のことだったんだ。彼女は間違っていなかったのだ。

「考えてみれば、万由子がいつも『前世の記憶』を取り戻すのは、必ず秒が一緒にいた時だけだ。万由子は自分の記憶を取り戻していたんじゃない。そばにいた秒が、しだいに彼の記憶を取り戻していくのに反応していただけなんだ」

――彼は、すごいんです。人の気持ちに同化できるっていうか、人の感情を読み取るのがすごく上手なんです。あたしのインスピレーションについて来てくれて、一緒に絵を描いているような気分になるの。

十詩子の言葉が、大きく頭の中によみがえった。

想像力があって、包容力があって、よく気が付く人。

そういう人こそ、私が「探す」のにもっとも適した人ではなかったか。そんなことは、私が一番よく知っていたはずなのに。秒の、人並み以上の濃《こま》やかさには気付いていたはずなのに。

私は思わず苦笑いした。その笑いは、涙がこぼれてきそうなほど、苦かった。

「じゃあ、あたしの見た白い車は」

ふと思い出して、英之進の顔を見た。

英之進が、絞り出すような声で言った。

「――山の中で一夜を明かして、朝一番で、倫子が寝ているあいだに秒を連れ出してしまおうと思っていた。ところが、倫子はほとんど寝ていなかったらしい。私が着いた時には、もう散歩に行ったあとだった。

私は見たんだ。あの場面を。

何もできなかった。秒を連れ出すことも、倫子を助けることも。私はあの場所から急いで離れるのが精一杯だった」

やっぱり、彼もあの現場にいたのだ。あのすごい形相は、殺人現場を目撃した衝撃の表情だったのだ。

「――あの絵を秒に見せたくなかった」

さらに彼は、苦渋に満ちた声で続けた。

「あの絵——展覧会で最初に見た時、どんなにゾッとしたことか。あの絵は、あまりにも恐ろしかった。死ぬ前に見せた倫子の情念がほとばしるようだった。あの絵を毎日目にしていたら、秒はきっとあのことを思い出すだろう、と思うとたまらなかった」

「だから、あなたが会場に火を点《つ》けたんですね」

英之進はかすかに頷《うなず》いた。

「まさかあんなに早く秒が来るとは思わなかった。とにかくあの絵に関わらせたくない。母親のことを思い出すようなことはやめてほしい。私は毎日そのことばかり考えていた。思い余って、秒に脅迫状まで送った」

秒は瞬《まばた》き一つしなかった。身体の震えは止まっていたが、虚《うつ》ろな目はどんよりと濁っている。

先生は、秒に向かってゆっくり話しかけた。

「——君は、さぞかし怖かっただろう。忘れていたこととは言え、自分が始めてしまったことだ。自分が殺した女の生まれ変わりが、自分が殺した時の記憶をよみがえらせようと努力している——自分の婚約者は、自分の身に危険が迫っているのではないかと、あちこち首を突っ込んで調べ回っている——きっと、十和田景子に会った時に、ほとんどの記憶がよみがえったんじゃないかね？　そして、十和田景子から万由子の連絡先を教えろと言われた時に、十和田景子に自分のしたことがバレたと思い込んだんだろう？　あの晩、君にかかって来た電話は脅迫者からではなく、十和田景子からだったんだ。君はすぐさま行動に出た」

秒は突然、獣のような叫び声を発して頭を抱えた。

顔を歪《ゆが》めた十詩子が彼にすがりつく。秒はその手を、苦しそうな顔で振り払った。

十詩子の目に涙が浮かぶ。

「——怖かった。ものすごく怖かった。終わりのない悪夢のようで」

乾いた声が流れだした。

「いつ、誰が僕に向かって、あいつだ、あいつが殺したんだと指差すのかと思うと、夜もろくろく眠れなかった——きっと、母が僕を罰しようとしてるんだ——ちょっとでも眠ると、僕が母を刺し殺すところを、何度も何度も繰り返し夢に見る——それが、毎晩続く」

秒の顔には、深い疲労が滲《にじ》んでいた。何度も繰り返し見る夢。そのつらさはよく知っていた。それがどんなに人を擦り減らすのかも。

「十詩子にこのことが知れたら？　みんなにこのことが知れたら？　一人で黙って死

のうと何度思ったか。でも、心配そうな十詩子の顔を見ると、とても死ねやしない。だったら――僕が母を殺したということを誰かに知られるくらいなら、いっそみんなを道連れにしてやろうと思ったんだ。僕の罪を知ることができそうな人はみんな、一緒に連れて行こうと思った。万由子さんが来たのには驚いたけど、いいチャンスだと思って。先に気絶させておいた十詩子と一緒にプールに閉じ込めて、水を出してから、崖《がけ》から飛び下りた」

秒は頭を抱えた。

「――でも、死ねなかった。たいした怪我《けが》もしなくて。崖の下で、絶望的な気持ちで横たわって、雨に打たれているところに、泰山先生が来て――先生が僕を助け上げてくれたので、先生と一緒にプールに戻って二人を助けた」

長い長い沈黙が降りた。

「――倫子が死ぬ前に、女の人が波打ち際《ぎわ》に倒れている絵を何枚も描いたと言っていたね。あれは、彼女の予告だったんだ。自分が無理心中するという、ね」

先生が呟《つぶや》く。

そして、「白雪姫」も。二重の意味とはこういうことか。私は、あなたの愛情が子供に移ったために、子供に嫉妬《しっと》して、子供を殺した。そういう予告を、父親に向かって残したのだ。

「あたし、知ってた。知ってたのよ」

十詩子が秒にしがみつきながら、私の顔を見た。

「あの女の人が殴られた日、帰って来た秒のシャツに血が着いてるのを見たの」

見る見るうちに絶望の涙が流れ出した。

今さらながらに気が付いた。

病院で、十詩子が私にしがみついて来た時の表情。何かを訴えるような大きな目。

私は、彼女が秒を心配しているのだと思い込んでいたが、あの時彼女は秒に対する疑惑に苦しんでいたのだ。

ああ、もう。最初から最後まで、間抜けだったんだなあ、あたしって。

大声で笑いだしたくなった。

あたしは何だったんだろう。本当は何の関わりもなかったのに、みんなをここまで引きずって来てしまった。本当に、本当に偶然あそこであの絵を見たために、埋もれていた事件を掘り出してしまったのだ。あの展覧会会場、あそこがすべての始まりだった。それとも、あの展覧会が開かれることが決まった時から、こうなる運命だったんだろうか？

英之進も、正明も、一気に何年も老《ふ》け込んだようだった。

みんなが、秒を守ろうとしていたのだ。二十五年前も、今回も。

秒は、身体《からだ》を投げ出して、激しく泣き叫んでいた。十詩子は彼にしがみついたまま離れない。

あたしのせい？　あたしはいったい、何のために？

みんなの顔を、ゆっくりと見回す。

あたしは何のために、ここにこうしているの？　こんなつらい思いをして。

お姉ちゃんだって、苦しんだのに。

私は姉に目をやった。

姉は目を赤くして、じっと小さくなって座っていた。まるで自分のしたことを恥じているかのように。親をなくした、小さな少女のように。

思わず立ち上がって、姉のほうに走り寄ると、姉の冷たい首に手を回してしがみついた。

姉が、私の腕をぎゅっとつかんだ。

涙が込み上げ、何か激しいものが身体の中を突き上げて来た。激しい怒り。

「違う。違うわ」

姉にしがみついて泣きながら、みんなを振り返って叫んだ。

「やっぱり、倫子はいたんだわ。倫子は戻って来てたのよ。あたしの中に、お姉ちゃんの中に、あのたくさんの絵の中に。私を責めに来たのでも、裁きに来たのでもない。彼女は言ってたんでしょ、次は過《あや》ちを犯さないって。次は間違えないって。彼女は判ってたのよ、前は間違えていたんだって。前は失敗したんだって。今度は間違いじゃないのよ、ねえ、そうでしょ?」

誰からも返事はなかった。私は姉にしがみついたまま、激しく泣きじゃくり続けた。誰も間違えていない。誰も悪いことはしていない。

激しい風の音が続いていたが、嵐が徐々に遠ざかってゆく気配がする。

朝の足音が静かに忍び寄って来る。

もうすぐ嵐が過ぎ去る。漂着物で汚れた、濁った海が残される。海の上に射《さ》す、夜明けの光が見えるような気がした。倫子が最後に見た朝の風景。

彼女は波間に浮かぶ黄色いバラの花を見ただろうか。「嫉妬」という花言葉を持つこの花を、自分を焼き尽くしたその言葉を。

エピローグ

一年ののち、高槻秒から古橋姉妹のもとに本が送られて来た。

『嘆きの海』。高槻倫子の遺作を画集としてまとめたものだった。

二人は一緒にその画集をめくり、長いことその絵を眺めていた。

どちらからともなく、海の見える温泉にでも行こうか、ということになった。


「うわあっ、すごい眺め」

「きれーい」

窓の下の海は、美しかった。きらきらと揺れる光の洪水が、ほんの少し両端がカーブした水平線に向かって広がっている。吹き渡る爽《さわ》やかな風が、松の木の枝を震わせている。

二人はしばし無言になり、それぞれの思いに沈んでいた。

あの、避暑地での夏を、万佐子は思い起こしていた。

近くの小学校で遊んで、帰って来ると、母が一人でぽつんと部屋の中に立っていた。

もう暗いのに、明かりも点《つ》けていない。

何をしてるんだろう？

覗《のぞ》いてみると、母は鏡の前に立っていた。とても暗い、虚《うつ》ろな表情だった。

母が手に何か持っている。

よく見ると、布切りバサミを握って、その先端を自分の喉《のど》に押し当てているのだった。

母はそのままの姿勢でじっとしていた。鏡の中の自分の顔を、ガラス玉のような生気のない目で見つめている。その顔はすっかり病気やつれしており、おばあさんみたいだ、と万佐子は思った。

それにしても様子がおかしい。明かりも点けずに、どうしてじっとしてるんだろう？

――お母さん？

ハッとして母が振り向いた。万佐子に気が付くと、目が覚めたように、ハサミを持った手を下ろす。

——どうしたの？

万佐子は母に駆け寄った。母は落ちくぼんだ目でちょっと笑った。

——どうしてハサミを喉に当てていたの？

万佐子は大きな目で母を見上げた。母はうろたえた。

——まあちゃんは、あんなことをしちゃだめよ。ここには、とても太い血管があって、ここを切るとあっというまに身体《からだ》じゅうの血が全部流れ出しちゃうのよ。ここを切れば、ほんの数分で、
母は一瞬言葉を切った。

——死ねるわ。

母の最後の言葉は、よく聞こえなかった。母は万佐子を抱き寄せたまま部屋の電気のスイッチを入れると、夕飯の準備をしに部屋を出た。

お母さんの元気がないのは、このあいだの、黄色い服の女の人のせいだ。

万佐子はそう思った。

激務の合間を縫って、やっと父がここに来てくれる日。万佐子は大はしゃぎで、母と二人で途中まで迎えに行った。すると、道の途中に、子供を連れた女の人と父が楽

しそうに話をしているのが見えた。

父が、あんなに楽しそうな表情をしているのを、初めて見た。女の人はとてもきれいな人だった。黄色いワンピースが華やかで、とても似合っていた。一緒にいる子供も、にこにこしてあどけない。

母を見上げると、母は無表情だった。その女の人に比べると、かなり見劣りがした。父が万佐子たちに気付き、一瞬バツの悪そうな顔をしたが、その女の人に挨拶《あいさつ》をして別れた。

——近くの別荘にお子さんと来ている人だよ。

父が最初に発した言葉はそれだった。『元気か』とか、『出迎えありがとう』、ではなく。その女の人が遠くから万佐子と母を見ているのに気付いた。馬鹿《ばか》にしたように、かすかに笑っていた。とてもいじわるな人に見えた。

その男の子に会った時、あの女の人が連れていた子だとすぐに気付いた。

——僕のお母さん、ハサミがなまくらで切れないって怒るんだ。

そう彼が言った時、彼女にはすぐ、母が喉にハサミを押し当てている場面が目に浮かんだ。この子にあのハサミを貸してやろう。彼女は即座に決心した。

翌日、ハサミを渡す前に、万佐子はそのハサミの先を自分の喉に押し当てて見せた。

——ハサミって危ないのよ。ここにふっとい血管があって、ここを切ると、全部の血が流れ出してすぐ死んじゃうんだから。

少年はぼんやりと万佐子のことを見ていた。ハサミを手に取って、しげしげとその刃先を眺めた。

その夜の母の発作は、父との言い争いの末に起こった。

どうせ私はもう、女としては何の役にも立たないわ、いつも具合が悪くて、おばあさんみたいに老《ふ》け込んで。だからってあんな——あんな——こんな、療養先まで来て、よその女と楽しそうにしなくったって——

母が泣き叫ぶのが切れ切れに聞こえた。父の罵声《ばせい》がそれに応酬する。

万佐子は暗闇《くらやみ》の中で、目をぱっちりと開けていた。

あの女の人のせいだわ。

暗闇の中で、少女は冷たい表情を浮かべ、何かを待つようにじっとしていた。

翌朝、彼女は見たのだった。

あの女の人の首にハサミが刺さるのを。万佐子は心で快哉《かいさい》を叫んだ。

自分の代わりに、彼が彼女を刺してくれたような気がした。あたしと、あたしのお母さんの代わりに。

万由子はゆったりとした心地好《ここちよ》い風に吹かれて、窓の外の海を眺めていた。

ああ、気持ちいい。嫌なことがみんな飛んで行っちゃうわ。

心が空っぽになり、身体が浮かぶような感覚がした。

なぜだろう、この風景、とても懐《なつ》かしい。この海、どこかで見たことがある。

万由子は自分の心が、甘酸《あまず》っぱい懐かしさでいっぱいなのに気が付いた。

どうしてかしら、この風景、見たことがあるような。

かつてどこかで、こんな気持ちでこんなふうに窓辺に立っていたような。

よくある、デジャ・ヴね。

万由子は首を振った。

――私のグレーテル。

どこかからそんな言葉が降って来た。

グレーテル。どこか、懐かしい響き。懐かしい名前。どこで聞いたのかしら。

万由子はふたたび海に目をやった。隣りの万佐子も、子供のような表情で海を見ている。

最近、ようやく万佐子の仕事も落ち着いてきたようだ。早く帰れるようになったし、二人でカルチャースクールでも行こうかと、相談していたところだ。

——こんな海を、自分で描くことができたら。

万由子はふとそう思った。

絵はどうかしら？　下手くそでも、絵が描けたらきっと楽しいに違いない。

こうして海を見ていると、この色を画用紙に移すことができそうな気がしてくる。

東京に帰ったら、お姉ちゃんに提案して、絵の具を買って来よう。

筆を手にとったら、何か自分でも忘れていた風景が描けそうな気がする。知らないうちに身体にしみ込んでいた、遠く懐かしい遥《はる》かな風景が。

軽やかにジャンルを跳び越えた傑作

貴志祐介

初めて『不安な童話』を読んだのは、もう八年も前のことになる。私はまだ作家としてデビューする前で、様々な新人賞をターゲットに投稿を続けながら、受賞作を読み漁《あさ》り、傾向と対策を模索していた時期だった。

当時、特に印象に残っていた作品の一つに、恩田陸さんの『六番目の小夜子《さよこ》』があった。学園伝説をモチーフにしたこの作品は、その後、映像化もされ、あまりにも有名になったので、今さら多言を要さないだろう。凝りに凝った仕掛けの巧みさと、その底流となっている独特の詩情は、読む者を強く惹《ひ》き付ける魅力とを備えていた。

だから、本作を書店で見つけると、迷うことなくレジに持っていった。大きすぎるほどの期待を抱いて読み始めたのだが、はたして、裏切られることはなかった。

今あらためて、その本の裏表紙を見直してみると、「大型女流新人が贈る新感覚サスペンス・ミステリー傑作！」とある。この惹句《じゃっく》からは、担当編集者の苦心のほどが窺《うかが》われる。抜群に面白いと、自信を持って読者にアピールしたいのだが、ではどのジャンルに属する小説なのか説明しようとすると、非常に難しいからだ。

主題を暗示するプロローグの後、物語は、若い女性の一人称で始まる。暑さ。喉《のど》の渇き。そして、身体的違和感。主人公の素性や舞台設定、古橋万由子《まゆこ》という名前すら明示されないうちに与えられる感覚描写は、いやおうなしに読者の不安を掻《か》き立てる。

やがて、カメラがズームアウトし、そこが二十五年前に亡《な》くなった女流画家、高槻《たかつき》倫子《のりこ》の遺作展であることがわかっても、不安は、いっこうに解消されない。

何かが起こりそうな濃密な予感の中で、展示されている絵が、順番に紹介されていく。童話をモチーフにした絵には、実は、謎《なぞ》を解き明かす手がかりが象徴的に含まれているのだが、このあたりの運びは、きわめて巧妙である。

さらに、万由子が絵から受ける漠然とした不安は、彼女自身の内奥《ないおう》にある恐怖の記憶と結びついていくのだ。

遠い昔、海辺で起きた惨劇。なぜ、万由子は、自ら体験したはずもないそのシーンを、記憶しているのか。

冒頭で提示された、きわめて魅力的な謎は、曲折を経て解明へと向かう。だが、その過程は、巷《ちまた》にあふれているホラーやミステリー、ファンタジー小説とは、ひと味もふた味も違っている。

……こういうおもしろい作品に出会うと、実作者としては、しばしば、自分ならどういう描き方をするかと考えるものだ。もし、この小説を完全なホラーとして描くとしたら、どうなるか。サイコ・サスペンスをベースに、オカルトのエッセンスを振りかけると、たとえば、こんな感じになるかもしれない。

展覧会以降、万由子の周囲には、次々と奇怪な出来事が出来《しゅったい》する。誰かが自分を監視し、脅迫している。だが、その対象は現在の自分自身ではなく、自分の前世だという人物なのだ。妄想に駆られた人物の犯行だろうか。だが、問題は、自分自身にもまた、前世の記憶とおぼしき惨劇の映像が甦《よみがえ》りつつあることだった。

しだいに追いつめられながらも、彼女は、真相を探ろうとする。だが、恐怖の影は、見えつ隠れつしながら、徐々に間合いを詰めてくる。

この過程で、少なくとも一人、できれば二人くらいは命を落とすことが望ましい。だが、何らかの理由によって、警察の保護は望めない状況にある。主人公に、警察に本当のことを話せない理由があるか、あるいは、警察の方が偏見を抱いているために、主人公の訴えに耳を貸してくれないのである。

クライマックスは、人里離れた場所がいい。主人公は、唯一《ゆいいつ》信頼し、味方になってくれる人物とともに、逃れてきている。だが、その人物もあっさり殺されてしまうか、あるいは黒幕だったかで、絶体絶命、孤立無援となった主人公は、命がけの逃走を開始する……。

クーンツが書けば、おもしろいかもしれない。だが、もちろん、本作とは比ぶるべくもない。

一方、純粋なミステリー路線を取るなら、結末で、すべての謎を合理的に解釈するために、オカルト的な現象の否定へと進まなければならない。

生まれ変わりも、超感覚知覚も、すべて、この世には存在しない。当然のことながら、結末は、すべてが怪異を装《よそお》った真犯人の作為ということにならざるをえない。それまで輝きを放っていた作品世界は、ここで、一気に色褪《いろあ》せてしまうことだろう。

だが、安心していただきたい。このような常套《じようとう》的なストーリー展開は、『不安な童話』とはまったく無縁のものである。

ここでも、万由子の周囲には、怪事件や脅迫などが続発する。だが、それらの扱いは、ホラー的なあくどさとは対極にある。あまり先走ると興醒《きょうざ》めなので、詳しくは述べないが、ふつうなら、これでもかというくらい残虐《ざんぎゃく》でグロテスクな描写に走りがちなシーンでも、作者の筆致は見事に抑えられている。無理に怖がらせようとはせず、むしろコミカルな味わいすら感じさせるのは、作者が作品全体を完璧《かんぺき》にコントロールしている証《あかし》だろう。

すべてが、軽やかなのである。だからこそ、淡々と日常を綴《つづ》る文章と、異常な事件が起きる文章とが地続きで、読者は、実に自然に、物語世界の中に誘われていくのだ。作者の筆捌《ふでさば》きの軽やかさ、融通無碍《むげ》さは、基本的な設定にも顕《あらわ》れている。万由子の見た映像が、前世の記憶であるという解釈は、安易なオカルト小説のようには簡単に承認されず、さりとて否定もならず、宙ぶらりんのまま、登場人物たちの脳裏に明滅している。

その一方で、万由子に、周囲の人間が忘れてしまった記憶を読み取るという、科学では説明のつかない不思議な能力が備わっていることは、最初から共通認識として受け入れられているのだ。

ともすれば、必要以上に論理の軛《くびき》に囚《とら》われがちな男性作家には、真似《まね》のできない部分だと思う。

付け加えるなら、万由子の前世と疑われる高槻倫子も、同じような能力を持っていたのだが、この設定もまた、秀逸である。この力は、物語を推進するメイン・エンジンであると同時に、パズルの一片のピースでもあるのだ。それがどう収斂《しゅうれん》していくかは、結末まで予断を許さない。

さらに、本作を凡百のホラー、ミステリーと隔たったものにしているのは、ストーリーの背骨となっている趣向である。

高槻倫子の遺品である四点の絵を、死後二十五年たって発見された遺書にしたがって、四人の人物に送り届けていく。こういうソフィスティケートされた展開は、ジャンル小説では、めったにお目にかかれないものだ。

しかも、第三者の目には、ただの風景画にしか見えない絵には、贈られた本人にしかわからない『悪意』が籠《こ》められていた。

なぜ、画廊の女主人は、犬を連れた女性の絵を見て、異常なまでに激怒したのか。そこに隠されていた象徴的な意味を探るのが、本作のミステリーとしての見所のひとつであり、それが、過去に起きた惨劇とどのような関わりを持っているのかが、物語の核心部分となる。

さらに、結末にいたって、そこにはもうひとつの仕掛けが……と、これ以上解説で触れるのは、無粋というものだろう。

先に、『不安な童話』は純粋なミステリーとは一線を画しているというように書いたが、それは、あくまでもストーリー展開の話であり、真相を追っていく万由子たちの推理は、堅牢《けんろう》そのものの、ミステリーの論理をベースにしている。けっして、直感だけで、一足飛びに真相を見抜くこともなければ、三流のハードボイルドのように、無意味に歩き回っているだけで、手がかりにぶち当たることもない。

初版本の折り返しにある『著者の言葉』を見ると、それもうなずける。当初、恩田さんが書こうと意図されたのは、「基本的な本格物」だったという。ど真ん中に投げ込んだはずだった剛速球は、ナチュラルに変化して、一筋縄ではいかない傑作を作り上げたのである。

読者は、本格ミステリーを読むのと同様の注意力で、さりげなく配置されている伏線を発見することを求められている。

そして、読後、意外な真相に愕然《がくぜん》とし、作者の周到な計算に、あらためて驚くことだろう。

そして、ふと考えるはずである。これは、ミステリーなのか、ホラーなのか、あるいは、ファンタジーと捉《とら》えるべきなのか。

そのすべてかもしれないし、どれでもないかもしれない。そんなことは、どうでもいいことなのだ。

小説には、とどのつまり、おもしろい小説とつまらない小説しかないのだから。

そして、『不安な童話』は、間違いなく、前者である。


（平成十四年十月、作家）

この作品は平成六年十二月祥伝社より刊行され、平成十一年四月祥伝社文庫に収録された。

恩田陸著
球形の季節
奇妙な噂が広まり、金平糖のおまじないが流行り、女子高生が消えた。いま確かに何かが大きく変わろうとしていた。学園モダンホラー。

恩田陸著
六番目の小夜子
ツムラサヨコ。奇妙なゲームが受け継がれる高校に、謎めいた生徒が転校してきた。青春のきらめきを放つ、伝説のモダン・ホラー。

北村薫著
ターン
29歳の版画家真希は、夏の日の交通事故の瞬間を境に、同じ日をたった一人で、延々繰り返す。ターン。ターン。私はずっとこのまま?

北村薫著
おーなり由子絵
月の砂漠をさばさばと
9歳のさきちゃんと作家のお母さんのすごす、宝物のような日常の時々。やさしく美しい文章とイラストで贈る、12のいとしい物語。

桐野夏生著
ジオラマ
あたりまえのように思えた日常は、一瞬で、あっけなく崩壊する。あなたの心も、変わってゆく。ゆれ動く世界に捧げられた短編集。

黒川博行著
疫病神
建設コンサルタントと現役ヤクザが、産廃処理場の巨大な利権をめぐる闇の構図に挑んだ。欲望と暴力の世界を描き切る圧倒的長編!

河野多惠子著　みいら採り猟奇譚
野間文芸賞受賞

自分の死んだ姿を見るのはマゾヒストの願望。グロテスクな現実と人間本来の躍動と日常生活の濃密な時空間に「快楽死」を描く純文学。

小池真理子著　蜜月

天衣無縫の天才画家・辻堂環が死んだ――。無邪気に、そして奔放に、彼に身も心も委ねた六人の女の、六つの愛と性のかたちとは？

幸田真音著　偽造証券

大量の有価証券と共に元エリート債券トレーダーが失踪した。大揺れのＮＹ邦人金融界に飛びこんでしまった、駆出し作家の祥子……。

「新潮45」編集部編　殺人者はそこにいる
―逃げ切れない狂気、非情の13事件―

視線はその刹那、あなたに向けられる……。酸鼻極まる現場から人間の仮面の下に隠された姿が見える。日常に潜む「隣人」の恐怖。

篠田節子著　家鳴り

ありふれた日常の裏側で増殖し、出口を求めて蠢く幻想の行き着く果ては……。暴走する情念が現実を突き崩す瞬間を描く戦慄の七篇。

白川道著　海は涸いていた

裏社会に生きる兄と天才的ヴァイオリニストの妹。そして孤児院時代の仲間たち――。男は愛する者たちを守るため、最後の賭に出た。

真保裕一著
奇跡の人
交通事故から奇跡的生還を果した克己は、すべての記憶を失っていた。みずからの過去を探す旅に出た彼を待ち受けていたものは――。

杉浦日向子著
百物語
江戸の時代に生きた魑魅魍魎たちと人間の、滑稽でいとおしい姿。懐かしき恐怖を怪異譚集の形をかりて漫画で描いたあやかしの物語。

武田泰淳著
ひかりごけ
雪と氷に閉ざされた北海の洞窟で、生死の境に追いつめられた人間同士が相食むにいたる惨劇を直視した表題作など全4編収録。

髙村　薫著
リヴィエラを撃て（上・下）
日本推理作家協会賞／日本冒険小説協会大賞受賞
元IRAの青年はなぜ東京で殺されたのか？白髪の東洋人スパイ《リヴィエラ》とは何者か？　日本が生んだ国際諜報小説の最高傑作。

天童荒太著
孤独の歌声
日本推理サスペンス大賞優秀作
さぁ、さぁ、よく見て。ぼくは、次に、どこを刺すと思う？　孤独を抱える男と女のせつない愛と暴力が渦巻く戦慄のサイコホラー。

乃南アサ著
死んでも忘れない
誰にでも起こりうる些細なトラブルが、平穏だった三人家族の歯車を狂わせてゆく……。現代人の幸福の危うさを描く心理サスペンス。

不《ふ》安《あん》な童《どう》話《わ》

新潮文庫　お - 48 - 3

平成十四年十二月一日発行
平成十九年六月五日十四刷

著者　恩《おん》田《だ》陸《りく》

発行者　佐藤隆信
発行所　株式会社　新潮社
郵便番号　一六二—八七一一
東京都新宿区矢来町七一
電話　編集部(〇三)三二六六—五四四〇
読者係(〇三)三二六六—五一一一
http://www.shinchosha.co.jp
価格はカバーに表示してあります。
乱丁・落丁本は、ご面倒ですが小社読者係宛ご送付ください。送料小社負担にてお取替えいたします。

印刷・錦明印刷株式会社　製本・錦明印刷株式会社

ISBN978-4-10-123414-4 C0193